Severin Capaul
Geldmaschine Fussball

Severin Capaul

Geldmaschine Fussball

Wie mit dem Ball die Millionen rollen

BoD - Books on Demand

Herstellung und Verlag:
BoD - Books on Demand, Norderstedt

Umschlagabbildung: © Andrzej Aleszcyk - Fotolia.com

ISBN: 978-3-7347-4943-8

Bibliografische Information der Deutschen Nationalbibliothek:
Die Deutsche Nationalbibliothek verzeichnet diese Publikation in
der Deutschen Nationalbibliografie; detaillierte bibliografische
Daten sind im Internet über http://dnb.dnb.de abrufbar.

Inhalt

Die wirtschaftliche Bedeutung des Sports

Der Sport hat heute in der Gesellschaft auf verschiedene Art und Weise eine grosse Bedeutung. Einerseits bedeutet er für viele von uns die körperliche Aktivität, die dem eigenen Körper gut tut und die Gesundheit fördert. Jeder kommt in seinem Leben mit sportlichen Aktionen in Berührung, die einen nur im Schulsport und nachher lieber nicht mehr, die anderen regelmässig oder gar exzessiv. Andererseits erleben wir heute den Sport auch in grossem Umfang von der passiven Seite, über den Besuch von Sportveranstaltungen und den Konsum von Fernsehprogrammen oder Tageszeitungen. Der Sport nimmt in all seinen Erscheinungen eine wichtige soziale Rolle in der Gesellschaft ein. Von der einfachen Freizeitbeschäftigung über die sich zu integrierende und anpassende Fähigkeit im Mannschaftssport bis hin zum gesellschaftlichen Zusammensein übernimmt der Sport wichtige Aufgaben. Und dabei ist der Sport oftmals erfolgreicher, als es die Politik mit ihren Gesetzen und Förderungsprogrammen ist. Gerade im Bereich der Integration von Ausländern hat der Mannschaftssport eine viel effektivere Wirkung, als dies die staatlichen Integrationsmassnahmen der Schreibtischtäter der Regierungen dieser Welt haben. Aber nicht nur aufgrund der sozialpolitischen Tragweite ist die Rolle des Sportes im 21. Jahrhundert von zentraler Bedeutung. Mittlerweile ist ein beachtlicher Wirtschaftszweig herangewachsen, der viele Menschen reich gemacht hat und noch viele Menschen mehr bei der täglichen Arbeit ihren Lebensunterhalt verdienen. Sei es der Sportartikelverkäufer aus dem lokalen Sportgeschäft, die Fitnesstrainerin im Fitnesscenter oder der Skilehrer in den verschneiten Bergen, allen bedeutet der Sport nicht nur Bewegung und Gesundheitsförderung, sondern auch die Sicherstellung der Existenz. Die wirtschaftliche Bedeutung des Sports wächst jedes Jahr an und es ist kein Ende in Sicht.

In Deutschland hat im Jahr 2008 die sportbezogene Bruttowertschöpfung eine Summe von 73,1 Milliarden Euro erreicht, was 3,3% der gesamtwirtschaftlichen Bruttowertschöpfung entspricht. Dieser Betrag ist ähnlich hoch wie jener des deutschen Fahrzeugbaus. Von den Gesamtausgaben der deutschen Haushalte entfallen ungefähr 6,6% auf den Sport. Von den über 40 Millionen Erwerbstätigen in Deutschland waren 4,4% in der Sportbranche tätig, also über 1,7 Millionen Menschen. Durch die Diskrepanz zur Wertschöpfung von 3,3% ist ersichtlich, dass das Potenzial noch längst nicht ausgeschöpft ist. Noch immer sind im Sport viele Teilzeitbeschäftigte oder nebenberufliche Aushilfen tätig. Diese Zahlen zeigen jedoch, dass der Sport in Deutschland nicht nur ideell, sondern auch wirtschaftlich eine gewisse Bedeutung hat. Aber auch das Nachbarland Österreich weist mit einer Wertschöpfung von 10,7 Milliarden Euro und einem Anteil von 4,9% an der gesamten Bruttowertschöpfung einen hohen Wert aus. Entwicklungspotenzial bietet sich der Sportbranche hingegen in den Niederlanden, wo die Bruttowertschöpfung lediglich auf einen Anteil von einem Prozent kommt.[1]

In England betrug die Bruttowertschöpfung mit 20,1 Milliarden Pfund 1,9% der gesamten Wertschöpfung. Damit gehört die Sportbranche in England zu den fünfzehn Wirtschaftszweigen mit der höchsten Wertschöpfung. Mit über 400'000 Beschäftigten stellt der Sport immerhin 2,3% aller Jobs bereit. Zudem bringen die Engländer ihr grosses Interesse für Sportevents mit über 75 Millionen verkauften Eintritten für Sportveranstaltungen im Jahr 2012 zum Ausdruck. Den grössten Teil der Zuschauer beansprucht dabei der Fussball, der 42 Millionen Zuschauer zählen durfte. Ebenfalls ins Gewicht fielen die 11 Millionen Zuschauer bei den Olympischen und Paralympischen Spielen in London.

---

[1] (gws Research Reports, Die wirtschaftliche Bedeutung des Sports in Deutschland, Gerd Ahlert, 2013)

Ebenfalls interessant zu sehen ist, da
1,1 Milliarden Pfund für Sportwetten ausge

In der Schweiz erzielte die Sportbranche im
satz von 17,9 Milliarden Franken und eine B.
von über 9 Milliarden Franken. Gemessen an
dukt betrug der Anteil aus der Sportwirtsc
88'000 Menschen waren im Sportbereich beschäf
hin 2,5% der Gesamtbeschäftigung ausmachte. So
Schweiz mehr Personen in der Sportwirtschaft täti
weise in der Versicherungsbranche (1,7%). Am meist
schöpfung in der Sportbranche trägt mit 24% der Spo
bei, dicht gefolgt von den Sportanlagen mit 22%. Die S
ne und Sportverbände in der Schweiz tragen mit 15%
towertschöpfung des Landes bei.[3]

In der Schweiz sind diverse internationale Sportverbände l
matet. Die bekanntesten und auch international bedeutena
sind die FIFA, die UEFA und das Internationale Olympisc
Komitee. Aber auch kleinere Verbände wie der Internationa
Radsportverband, der Eishockeyverband oder der Internationale
Volleyballverband haben ihren Sitz in der Schweiz. Gesamthaft
sind es rund 70 verschiedene Organisationen, welche alle zur
schweizerischen Wertschöpfung beitragen. Diese Organisationen
beschäftigten im Jahr 2011 in der Schweiz 1'800 Personen und
sind indirekt für weitere 6'240 Vollzeitstellen verantwortlich. Die
Bruttowertschöpfung beträgt über 1,4 Milliarden Franken. Zudem generieren die internationalen Sportorganisationen rund
44'000 Logiernächte pro Jahr und haben somit auch eine starke
Wirkung für das Gastgewerbe und die mit dem Tourismus ver-

---

[2] (Sport England, Economic value of sport in England, 2013)
[3] (rütter + partner, Wirtschaftliche Bedeutung des Sports in der Schweiz 2008, 2011)

hen Branchen.[4] Zudem tragen alle diese Organisationen
Standort und den Namen Schweiz in die Welt hinaus. Die
Lausanne verdankt ihre internationale Bekanntheit zu gros-
Teilen dem IOC. Und wer in Europa würde schon das be-
uliche Örtchen Nyon am Lac Léman kennen, wenn dort
t die UEFA ihren Sitz hätte. Zudem kommt die Schweiz
ch die Präsenz der Sportorganisationen zu Events von inter-
tionaler Bedeutung. So findet beispielsweise jährlich die Verlei-
ng der FIFA des Ballon d'Or, die Wahl zum Weltfussballer des
hres, in Zürich statt. Zudem entsteht in Zürich ein Fussballmu-
eum, welches ohne einen FIFA-Hauptsitz auch an einem anderen Ort entstehen würde.

Die Sportart mit dem weltweit höchsten Beliebtheitsgrad ist klar
der Fussball. Sowohl was das Zuschauerinteresse im Vergleich zu
anderen Sportarten anbelangt, als auch bei den wirtschaftlichen
Auswirkungen. Zwar sind regional teilweise andere Sportarten
ebenfalls hoch im Kurs, wie zum Beispiel Baseball, Basketball
und American Football in den USA oder Cricket in Indien. Am
meisten kommerzialisiert ist global gesehen aber auf jeden Fall
der Fussball. Vorreiter dabei sind vor allem die Profiligen in England und Deutschland, sowie die beiden spanischen Vereine Real
Madrid und der FC Barcelona. Die 20 umsatzstärksten Vereine in
Europa hatten in der Saison 2012/13 kumulierte Einkommen
von 5,4 Milliarden Euro.[5] Das Interesse an der Sportart zeigt sich
auch an der Anzahl der registrierten Fussballer in den verschiedensten Ländern. In Deutschland gibt es mit 6,3 Mio. Personen
am meisten registrierte Fussballer, was etwa acht Prozent der
Landesbevölkerung entspricht. Dabei sind die nicht registrierten
Hobbyspieler noch gar nicht eingerechnet. Es wird davon ausgegangen, dass dies nochmals etwa zehn Millionen Menschen zusätzlich sind. Am meisten Fussballvereine gibt es hingegen in

---

[4] (rütter + partner, Wirtschaftliche Bedeutung internationaler Sportorganisationen
in der Schweiz, 2013)
[5] (Deloitte, Football Money League, 2014)

England, über 42'000 sind registriert. Dies ist insofern beach-
tenswert, da lediglich knapp 1,5 Millionen Fussballer registriert
sind. Damit liegen Länder wie die USA, Brasilien, Frankreich und
Italien vor den Engländern.[6]

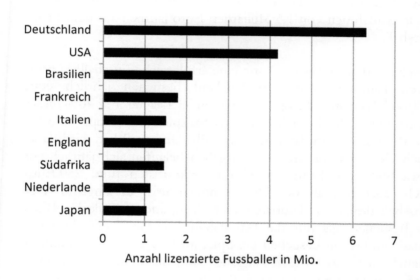

Anzahl lizenzierte Fussballer in Mio.

Eine der am besten vermarkteten Fussballligen in Europa ist die
deutsche Bundesliga, deren Vereine solide und vernünftig wirt-
schaften und den Zuschauern trotzdem gute Spiele auf hohem
Niveau bieten können. Pro Saison besuchen mehr als 18 Millionen Zuschauer die Spiele in den Stadien und Wochenende für
Wochenende sitzen etwa 15 Millionen Zuschauer vor den Fern-
sehbildschirmen. Dieses ungebrochene Interesse an der Bundesliga führt dazu, dass der Profifussball in Deutschland eine Wertschöpfung von über 5 Milliarden Euro generiert und für die
Schaffung von etwa 110'000 Jobs verantwortlich ist. Darüber
hinaus fliessen dem Staat jedes Jahr rund 1,7 Milliarden Euro an
Steuern wie Lohn- oder Mehrwertsteuer zu, welche direkt oder

---

[6] (FIFA.com, Big Count)

bei wirtschaftlichen Aktivitäten um den Fussball herum anfallen. Die Dienstleistungen des Staates gegenüber dem Profifussball, wie zum Beispiel Polizeieinsätze, Investitionen in Stadien oder auch Unterstützung des öffentlichen Verkehrs an Spieltagen, machen lediglich 200 Mio. Euro aus. Der deutsche Staat hat somit Nettoeinnahmen von 1,5 Milliarden Euro jährlich aus dem Profifussball.[7]

Auch auf den Tourismus kann eine erfolgreiche Fussballliga positiven Einfluss haben. In England besuchen jährlich etwa 900'000 Touristen die Spiele der Premier League. Für 40% dieser Touristen ist der Besuch eines Fussballspiels der Hauptgrund für die Reise ins Mutterland des Fussballs. Und natürlich wird dabei auch Geld ausgegeben. Die Ausgaben belaufen sich jährlich auf etwa 860 Mio. Euro, wobei Fussballtouristen rund 250 Euro mehr ausgeben als der Durchschnittstourist in England. Der Fussball bringt die Touristen auch dazu, andere Teile Englands zu besuchen, als nur die Hauptstadt London. Etwa 20% der Fussballtouristen besuchen ein Spiel im Old Trafford Stadion in Manchester.[8] Im Norden Englands sind mit Manchester United und dem FC Liverpool zwei Traditionsvereine mit grosser Anziehungskraft beheimatet. Aber auch neben dem professionellen Sport kommt dem allgemeinen Sporttourismus eine immer höhere Bedeutung zu. Und dabei sind nicht nur Sportveranstaltungen ein wichtiger Treiber, sondern auch die Angebote, um selber aktiv Sport zu betreiben. Immer mehr Menschen wollen auch im Urlaub etwas erleben und sich bewegen. Die Angebote für beispielsweise Wanderferien, Surf- und Golfkurse oder Tenniswochen nehmen Jahr für Jahr zu. Dies führt dazu, dass an vielen Destinationen die Sportinfrastruktur ausgebaut und erneuert wird, der Wettbewerb unter den Tourismusorten lässt ein Ausruhen nicht zu. Und mit den neuen und aufstrebenden Tourismus-

---

[7] (McKinsey & Company Inc., Wirtschaftsfaktor Bundesliga, 2010)
[8] (VisitBritain.com, 900,000 football-watching visitors spend £706 million while in Britain, 2012)

orten wie beispielsweise Dubai verschärft sich der Wettbewerb zusehends.

Für Städte mit einem Fussballverein aus einer attraktiven Liga bieten sich ebenso grosse wirtschaftliche Vorteile. Beispielsweise ist Hamburg Gastgeberstadt von jährlich 17 Bundesligaspielen mit bis zu 57'000 Zuschauern pro Spiel. Die Besucher der Spiele des Hamburger SV essen in Restaurants oder am Imbissstand im Stadion, fahren mit dem öffentlichen Verkehr oder Taxi zum Stadion und übernachten unter Umständen sogar in einem Hotel in der Stadt. Im Zusammenhang mit dem Hamburger SV entsteht eine Wertschöpfung von 84 Mio. Euro und ein Beschäftigungseffekt von etwa 740 Vollzeitarbeitsstellen. Dazu kommen die etwa 100 Vollzeitbeschäftigte beim HSV sowie etwa 1'500 Teilzeitbeschäftigte an den Spielen wie Sicherheitspersonal oder Mitarbeiter im Catering. Zudem trägt der HSV den Namen Hamburg in die ganze Welt hinaus. Der Bekanntheitsgrad der Stadt steigert sich durch die Berichterstattungen in ganz Europa, was einen positiven Effekt auf den Tourismus haben kann. Zudem ist der Hamburger SV durch seine Tradition ein vielerorts beliebter Verein, was sich imagemässig auf die Stadt überträgt. Umso wichtiger für die Stadt Hamburg ist es also, dass sich der HSV in der 1. Bundesliga hält und wie in der Saison 2013/14 den Abstieg verhindern konnte.[9] Aber auch in der wesentlich kleineren Stadt Luzern in der Schweiz mit einer unbedeutenderen Liga generiert der Fussball eine Wertschöpfung. Der FC Luzern ist für eine schweizweite Wertschöpfung von etwa 22 Mio. Euro verantwortlich. Dabei werden rund 80% durch Aktivitäten des Klubs erwirtschaftet, wie zum Beispiel die Ticketverkäufe oder Ausgaben im Stadion. Direkt oder indirekt werden durch den FC Luzern 220 Vollzeitstellen geschaffen.[10]

---

[9] (HWWI.org, Dr. Henning Vöpel und Max Steinhardt, Wirtschaftsfaktor Fussball, 2008)
[10] (rütter+partner, 2013)

Die schönste Nebensache der Welt ist heute nicht mehr nur Hobby und Zeitvertreib. Der Fussball ist zu einem Geschäft geworden, zu einem Milliardenbusiness. Es werden Milliarden umgesetzt aus der Vermarktung des runden Leders. Viele Unternehmen und Vereine sind an diesem Business beteiligt und viele Menschen verdienen gutes Geld daran. Und immer mehr wollen sich daran beteiligen und von der Entwicklung profitieren. Das wird sich auch in naher Zukunft nicht ändern, die Sportbranche wird weiter wachsen und weiter an Bedeutung gewinnen. Und irgendwie sind wir alle Teil davon, ob als Direktbeteiligte in einem Verein, ob als Fan, Fernsehzuschauer oder Konsument einer im Fussball engagierten Firma, jeder hat wohl irgendwo einen Berührungspunkt. Dies macht die Sportart auch so faszinierend, da jeder auf seine Art teilhaben und mitreden kann. Auch wenn die Millionen und Milliarden nur die Konten anderer füllen.

Das lukrative Geschäft mit den Namensrechten

Sportsponsoring ist für viele Firmen eine sehr beliebte Art von Sponsoring, da das Interesse am Sport in der Bevölkerung sehr breit abgestützt ist. Gerade um den Bekanntheitsgrad zu steigern oder das Image zu verbessern, bieten sich im Sportsponsoring sehr gute Möglichkeiten. Viele Firmen entscheiden sich für ein Engagement im Fussball, was aufgrund des ungebrochenen Interesses der Bevölkerung in sehr vielen Ländern nicht verwundert. Eine in Europa immer stärker aufkommende Form von Sponsoring ist die Vergabe der Namensrechte am Stadion. Was in den USA schon längst üblich ist, nimmt in Europa langsam aber sicher auch Einzug. Waren noch vor ein paar Jahren kaum Namensrechte an Stadien vergeben, so stolpert man heute doch relativ oft über Stadionnamen mit Firmenbezeichnungen. Was früher in Deutschland das Westfalenstadion, das Waldstadion oder das Volksparkstadion war, ist heute der Signal Iduna Park, die Commerzbank Arena oder die Imtech Arena. Für Vereine oder Stadionbesitzer ist die Vergabe der Namensrechte sehr lukrativ. Einerseits wird von den Firmen dafür relativ viel bezahlt und andererseits sind die Verträge in der Regel sehr langfristig ausgelegt. Nicht selten werden Verträge für zehn oder fünfzehn Jahre ausgehandelt. Dies gibt den Vereinen gesicherte Einnahmen über mehrere Jahre hinweg, was bei Trikotsponsoren oftmals nur über zwei bis drei Jahre der Fall ist.

Gemäss einem Bericht von Sponsorship Today hatten die vergebenen Namensrechte weltweit zu Beginn des Jahres 2013 einen Wert von ungefähr 560 Mio. Euro. Dabei gehen die Hälfte aller Verträge für Namensrechte und 58% der Gesamtsumme auf das Konto der USA.[11] Dies zeigt klar und deutlich, dass die USA gegenüber Europa und dem Rest der Welt einen grossen Vorsprung

---

[11] (IMR sports marketing & sponsorship, Naming rights worth $750 million annually, 2013)

aufweisen, was die Vergabe von Namensrechten angeht. Es zeigt aber auch auf, was für ein Potenzial für viele Vereine noch ungenutzt brach liegt. Oftmals sind jedoch die Hemmschwellen für die Vergabe des Stadionnamens gerade in Europa höher als in der noch mehr businessorientierten USA.

Für die Namensrechte an Stadien in den USA investieren Firmen sehr viel Geld. Millionendeals mit Jahrzehnte langen Vertragsdauern gehören fast schon zur Tagesordnung. Zu den grössten Gewinnern dieser Art von Sponsoring gehören die New York Mets und die Dallas Cowboys. Die New York Mets schlossen mit der Citigroup einen Vertrag über 20 Jahre im Wert von 400 Mio. Dollar ab. Der Name Citi Field spült somit jährlich 20 Mio. Dollar in die Vereinskasse. Ebenfalls 20 Mio. Dollar jährlich über mindestens 20 Jahre erhalten die Dalls Cowboys für ihr AT&T Stadium. Dabei besteht die Option, dass dieser Vertrag nochmals um zehn Jahre verlängert werden kann, was dann einer Gesamtsumme von unglaublichen 600 Mio. Dollar entsprechen würde.[12] Doch wer denkt, dass diese Wahnsinnssummen nicht mehr zu toppen seien, der irrt. So hat die Farmers Insurance mit der Anschutz Entertainment Group einen Deal über 30 Jahre im Wert von 700 Mio. Dollar für ein Stadion unterzeichnet, dass noch nicht einmal steht und noch ohne Verein ist. Die Anschutz Entertainment Group hat dadurch den Auftrag erhalten, ein Team aus der National Football League nach Los Angeles zu holen, welches dann im neu erstellten Stadion antreten soll.[13] Dabei kann ergänzt werden, dass es in den USA nicht ganz unüblich ist, dass Sportvereine beziehungsweise ganze Organisationen von einem Ort zum anderen übersiedeln.

---

[12] (TheRichest.com, Nitin Bhandari, Top 10 Biggest Stadium Naming Rights Deals, 2013)
[13] (Forbes.com, Patrick Rishe, Farmers Insurance, AEG Score Bit With L.A. Naming Rights Deal, 2011)

Im europäischen Fussball ist vor allem die deutsche Bundesliga bestens vertraut mit der Vergabe von Namensrechten an den Stadien. In der Saison 2013/14 waren fünfzehn von achtzehn Stadien mit Sponsorennamen bekleidet. Lediglich das Olympiastadion in Berlin, das Weserstadion in Bremen und der Borussia-Park in Mönchengladbach waren zu diesem Zeitpunkt nicht kommerziell vermarket.[14] Für alle anderen Vereine scheinen die Einnahmen daraus unverzichtbar zu sein. Im Vergleich zu den amerikanischen Verträgen scheinen diejenigen in Deutschland eher bescheiden auszufallen. So ist beispielsweise der Name Allianz Arena jährlich 6 Mio. Euro wert. Dafür wird der Name Allianz massenweise in die Welt getragen. Allein durch die Austragung des UEFA Champions League Finals in München im Jahr 2012 kam der Name Allianz Arena in über 50'000 redaktionellen Artikeln vor.[15] Der FC Schalke 04 erhält von seinem Stadionsponsor Veltins seit der Vertragsverlängerung im Sommer 2014 um die 6,5 Mio. Euro pro Saison.[16] Revierrivale Borussia Dortmund kommt mit dem Signal Iduna Park immerhin noch auf rund 5 Mio. Euro jährlich.[17]

In der englischen Premier League erhalten vor allem Manchester City im Etihad Stadium und Arsenal London im Emirates Stadium viel Geld von ihren Hauptsponsoren. Dabei wurden jeweils kombinierte Deals abgeschlossen, welche sowohl das Sponsoring auf dem Trikot als auch den Stadionnamen beinhalten. Die Fluggesellschaft Emirates bezahlt Arsenal dafür ungefähr 37 Mio. Euro pro Saison. Sogar bis zu 50 Mio. Euro jährlich bezahlt die Etihad Airways für das Sponsoring bei Manchester Ci-

---

[14] (The Wall Street Journal, Thomas Mersch und Stefan Merx, Das Millionenspiel mit den Stadionnamen, 2013)
[15] (Versicherungswirtschaft-heute.de, Naming-Rights-Strategie: Versicherer-Arena nicht nur im WM-Land Brasilien, 2014)
[16] (derwesten.de, Friedhelm Pothoff, Namensrechte für Veltins-Arena in Gelsenkirchen verlängert, 2014)
[17] (Focus.de, Millionen-Segen für Borussias Zukunft, 2012)

ty.[18] Dabei profitieren die beiden Vereine stark von der aggressi-
ven Expansionspolitik der beiden Airlines aus den arabischen
Emiraten. Die beiden in Staatsbesitz befindenden Fluggesell-
schaften breiten sich mehr und mehr in Europa aus und nutzen
den Fussball als Imagewerbung. So sind beide Airlines bei verschiedenen europäischen Topvereinen engagiert, wie zum Beispiel bei Paris Saint-Germain, AC Mailand, Real Madrid oder
Chelsea London. Trotz des Engagements ausländischer Firmen
bei englischen Vereinen erstaunt es, dass zu Beginn der Saison
2014/15 in der höchsten englischen Spielklasse lediglich sechs
Stadien mit Sponsorenverträgen versehen waren. Dies sind zwar
so viele wie noch nie in der Geschichte der Premier League. Und
trotzdem ist diese Anzahl gerade mal um eines höher als noch
vor fünf Jahren.[19]

Dass das Potenzial nach wie vor immens ist, zeigt zum Beispiel
auch, dass die zwei umsatzstärksten Vereine, Real Madrid und der
FC Barcelona, bisher auf einen Namenssponsor für ihr Stadion
verzichten. Immer wieder machen Gerüchte die Runde, dass bald
ein Millionendeal abgeschlossen werden könnte. Es kann sich
heutzutage kaum ein Verein erlauben, nicht über eine solche Art
von Sponsoring nachzudenken. Die möglichen Einnahmen im
zweistelligen Millionenbereich für die grossen Vereine bleiben
wohl nicht ganz freiwillig ungenutzt. Oftmals ist es wohl ein Ab-
wägen zwischen der wirtschaftlichen und der traditionellen Seite.
Im europäischen Sport spielt im Vergleich mit dem amerikanischen die Tradition eine bedeutend grössere Rolle. Der Wider-
stand der Fans gegen die Kommerzialisierung im Fussball ist an
vielen Orten sehr gross. Und dadurch fehlt den Vereinsverant-
wortlichen nicht selten der Mut, Stadionnamen wie Old Trafford,
Santiago Bernabéu oder Camp Nou verschwinden zu lassen.
Wahrscheinlich wird es eine Frage der Zeit sein, bis in der engli-

---

[18] (BBC.com, Arsenal football club in £100m Emirates deal, 2012)
[19] (SBC News, Sam Cooke, Focus on stadium rights - part 1 - the origins, 2014)

schen Premier League, der spanischen Primera División oder in der italienischen Serie A die Vergabe von Namensrechten in Mode kommt.

Um der Umbenennung des Stadionnamens vorläufig zu entkommen, hat beispielsweise Manchester United eine innovative Idee entwickelt. Anstatt den Namen des Old Trafford Stadions abzuändern, was bei den Fans einen Sturm der Entrüstung ausgelöst hätte, hat Manchester United die Namensrechte am Trainingsgelände verkauft. So können die entgangenen Einnahmen aus dem Stadion kompensiert werden. Die Firma Aon kaufte die Rechte am Trainingsgelände für acht Jahre ab der Saison 2013/2014 und bezahlt dafür jährlich mehr als 18 Mio. Euro.[20] Nur schon diese Summe zeigt auf, wie viel Geld Manchester United für den Stadionnamen einnehmen könnte. Es dürfte auf jeden Fall einiges mehr sein als für ein in der Öffentlichkeit kaum wahrnehmbares Trainingsgelände.

Eine weitere Möglichkeit, mit Namensrechten Geld einzunehmen, ist das Ligasponsoring. Dabei wird dem Namen der Liga ein Sponsor hinzugefügt. Die Bekanntheit kann auf diesem Weg sehr schnell rasant gesteigert werden, da der Name der Liga immer mit dem Firmennamen genannt wird. In allen Berichterstattungen im Fernsehen und in den Tageszeitungen wird man prominent erwähnt. Zudem hat man nicht das Risiko des sportlichen Erfolgs oder eben des Misserfolgs eines einzelnen Teams, da die ganze Liga gesponsert wird und damit alle Vereine. In England hat mit der Bank Barclays eine der grössten Banken des Landes das Ligasponsoring übernommen. Diese bezahlt der Premier League für drei Saisons bis zum Ende der Spielzeit 2015/16 ungefähr 150 Mio. Euro, also rund 50 Mio. Euro jährlich.[21] Dieses Geld

---

[20] (BBC Sport, David Bond, Manchester United agree £120m training ground deal, 2013)
[21] (The Telegraph, Kamal Ahmed, Barclays considering exit from Premier League sponsorship deal, 2014)

geht zwar nicht direkt an die Vereine, sondern in erster Linie an den Ligaverband. Der Verband verteilt einen Teil dieser Einnahmen in der Regel genauso wie die TV-Gelder an die Vereine, der Rest wird für die Aufwendungen des Ligabetriebs genutzt. Auch andere Ligen nutzen diese Art von Einnahmequelle. So erhält die spanische La Liga von der Bankengruppe BBVA jährlich über 23 Mio. Euro.[22] Gerade in kleineren Ligen ist diese Art von Sponsoring sehr verbreitet, da diese ohnehin permanent um jeden Euro kämpfen und so die Einnahmen auf einfache Art und Weise erhöhen können. In Österreich wird die erste Bundesliga von der Firma tipico gesponsert. Der Sportwettanbieter überweist für die Namensgebung an der höchsten österreichischen Liga jährlich um die 2 Mio. Euro.[23] Die Schweizer Super League wird wie in England oder Spanien von einer Bank gesponsert. Es scheint vor allem für Banken interessant zu sein, ein Sponsoring für eine ganze Sache einzugehen und nicht Partei für einen Verein zu ergreifen. So wird der ganze Markt abgedeckt, kann sich im lukrativen Sportbusiness engagieren und dennoch ist man nicht im Schussfeld der Sympathien oder Antipathien der einzelnen Vereine. Die Raiffeisen überweist für das Namenssponsoring der Super League jährlich ungefähr 3,5 Mio. Euro.[24] Der gleiche Betrag bezahlt der Bierbrauer Jupiler für den Namen an der obersten Spielklasse in Belgien. Dieses Engagement hat schon lange Bestand und der Name Jupiler Pro League ist in Belgien bereits sehr stark verankert.[25]

Zusätzliche Einkünfte können durch die Vergabe der Namensrechte am Vereinsnamen generiert werden. Dazu gibt es aber bisher sehr wenige Beispiele im europäischen Klubfussball. Am

---

[22] (Sportspromedia.com, Michael Long, BBVA renews La Liga title sponsorship, 2013)
[23] (Sportspromedia.com, Eoin Connolly, Tipico becomes new title sponsor of Austrian Bundesliga, 2014)
[24] (Bilanz.ch, Ueli Kneubühler, Raiffeisen zahlt mehr als Axpo, 2012)
[25] (LaLibre.be, Jupiler va payer 9,75 millions à la Pro League, 2011)

ehesten in Kontakt gerät man damit in Österreich, wo der eine oder andere Verein einen Sponsor im Vereinsnamen trägt. Das bekannteste Beispiel ist sicherlich Red Bull Salzburg, bei welchem der Verein gänzlich in Besitz von Red Bull ist. Weitere mit Sponsorennamen bestückte Vereine in Österreich sind beispielsweise der SK Puntigamer Sturm Graz mit der Brauerei Puntigam oder der Cashpoint SC Rheindorf Altach mit dem gleichnamigen Sportwettanbieter. Die Beiträge der Sponsoren weisen da aber grosse Unterschiede auf. Werden in Salzburg Millionen zur Verfügung gestellt, so sind es in Graz lediglich ein paar Hunderttausend Euro. Der im Jahr 2013 verlängerte Vertrag um drei Jahre hat einen Wert von rund einer Million Euro und somit weniger als 350'000 Euro pro Saison.[26] Jedoch stellt auch dieser Betrag für österreichische Verhältnisse gutes Geld dar, da nicht jeder Verein Verhältnisse wie in Salzburg vorfindet. In vielen Ligen und auch in den UEFA Wettbewerben ist ein kommerzieller Vereinsname jedoch nicht gestattet. So ist beispielsweise Red Bull in Leipzig genauso stark engagiert wie in Salzburg, tritt aber unter dem Namen RasenBallsport Leipzig auf. Als Ausnahme gelten Vereine, welche als Betriebsvereine gegründet wurden, wie beispielsweise Bayer Leverkusen. Die Bayer AG unterstützt in den Bereichen Spitzen-, Breiten- und Behindertensport sowohl Einzelsportler als auch Vereine. Die Bayer AG engagiert sich in 50 verschiedenen Sportarten und zählt 26 verschiedene Sportvereine. Der Ursprung dieses Engagements liegt in der Initiative der Mitarbeitenden, welche bereits zu Beginn des 20. Jahrhunderts nach sinnvollen Freizeitbeschäftigungen strebten. Dabei entstand auch der bekannteste Verein, der Fussballverein Bayer 04 Leverkusen. Heute ist die Bayer 04 Leverkusen Fussball GmbH eine hundertprozentige Tochter der Bayer AG.[27] Dementsprechend leistet die Bayer AG eine grosse und wichtige finanzielle Unterstützung. Seit vielen Jahren steuert der Pharma- und Chemiekonzern

---

[26] (SportsPro, Sturm Graz renew deal with Puntigamer, 2013)
[27] (Bayer.de, Gesellschaftliches Engagement, Bayer und der Sport)

25 Mio. Euro pro Saison bei. Und wenn die finanzielle Lage des Verein es erfordert, so kann es durchaus auch mal ein bisschen mehr sein. Im Jahr 2004 hat die Bayer AG die Namensrechte am Stadion für zehn Jahre erworben und dafür dem Verein 36 Mio. Euro überwiesen. Und dies, nachdem das Stadion kurz zuvor zu einem Spottpreis an Bayer 04 Leverkusen überschrieben wurde.[28] Nicht mehr im Vereinsnamen präsent ist die Volkswagen AG im Vereinsnamen des VfL Wolfsburg. Jedoch ist der Verein zu hundert Prozent im Besitz des Automobilherstellers. Die Volkswagen AG finanziert den VfL Wolfsburg mit geschätzten 60 Mio. Euro jährlich.[29] In der Bundesliga sind die beiden Werkteams sehr umstritten. Nicht selten monieren andere Klubbosse, dass die Gelder der Bayer AG und der Volkswagen AG über ein normales Sponsoring hinausgehen und deshalb Wettbewerbsverfälschung vorliege. Weitere Beispiele von Werkteams in Europa sind der PSV Eindhoven mit dem Philips-Konzern im Rücken oder der FC Sochaux mit dem Autohersteller Peugeot.

---

[28] (Stern.de, Johannes Röhrig, Big Mama, 2006)
[29] (waz-online.de, Muss sich die UEFA um das Geld von VW kümmern?, 2014)

Geldregen in der UEFA Champions League

In der UEFA Champions League kämpfen jedes Jahr die besten europäischen Teams um die begehrteste Trophäe im Klubfussball. Um an der Liga der besten Teams in Europa teilnehmen zu können, müssen sich die Vereine erst über die nationalen Meisterschaften qualifizieren. Konnten noch vor Einführung der UEFA Champions League, erstmals ausgetragen in der Saison 1992/93, lediglich die Landesmeister weniger Nationen am damaligen Format teilnehmen, so zählen heute bis zu vier Teams eines Landes zum 32 Mannschaften umfassenden Teilnehmerfeld. Dadurch wurde der sportliche Wert des Wettbewerbs massiv gesteigert und die Attraktivität für Zuschauer und Sponsoren auf ein neues Level gehievt. Jedoch war es zeitweise für die Meister aus kleineren Fussballländern fast ein Ding der Unmöglichkeit, die Qualifikationsrunden zur Teilnahme an der Gruppenphase zu überstehen. Denn diese mussten, im Gegensatz zu den Teams aus den Top-Ligen, bis zu drei Qualifikationsrunden überstehen, um an der Gruppenphase teilnehmen zu können. Erst durch eine Anpassung des Qualifikationsmodus für die Landesmeister kommt es wieder häufiger vor, dass sich kleinere Teams den Traum erfüllen können, sich mit den Grossen in Europa messen zu können. Vereine wie Austria Wien, APOEL Nikosia, FC Basel, Steaua Bukarest, RSC Anderlecht oder Dinamo Zagreb kamen dadurch in den Genuss, aufgrund von leichteren Qualifikationsgegnern, im Konzert der europäischen Spitzenklasse mitzuspielen. Die Qualitätsunterschiede zu den besten Teams sind dann jedoch oftmals nicht zu verbergen. Sobald es in die Achtelfinals geht, ist die europäische Elite mit wenigen Ausnahme wieder unter sich. Das erfolgreichste Team der UEFA Champions League ist Real Madrid, das mit dem Gewinn in der Spielzeit 2013/14 den zehnten Titel einheimste. Die AC Milan konnte die Trophäe bisher siebenmal gewinnen, der FC Bayern München und der FC Liverpool je fünfmal.

Die Anziehungskraft der UEFA Champions League widerspiegelt sich im Interesse der Fans und neutralen Zuschauer. Es gibt nur wenige Spiele, welche nicht vor vollen Rängen durchgeführt werden. Oftmals könnten die Vereine die Stadien sogar mehrfach füllen, so gross ist das Interesse an den Highlights der Saison. Dies vor allem deshalb, weil auch die Gelegenheitsbesucher oder die Rosinenpicker diese aussergewöhnlichen Partien den Ligaspielen vorziehen. Ausnahmen bilden dabei sicherlich die Teams der englischen Premier League und der deutschen Bundesliga, welche auch in den nationalen Meisterschaftsspielen stets in ausverkauften Stadien antreten. In anderen Ligen sieht das Bild tendenziell anders aus, sind doch vorwiegend nur die Topspiele ausverkauft. Begegnungen gegen die Aufsteiger ziehen die Masse nicht an. Wen interessiert es schon, wenn die AC Milan am Wochenende gegen Sassuolo Calcio antritt, wenn am Mittwochabend der Knüller gegen den FC Barcelona ansteht. Die Zuschauerzahlen der UEFA Champions League verzeichnen seit Jahren fast kontinuierliche Anstiege. Bei Einführung des neuen Formats in der Saison 1992/93 lag die durchschnittliche Zuschauerzahl bei damals noch lediglich 25 durchgeführten Partien bei 34'930 Zuschauern. In der Saison 2013/14, in welcher 125 Partien ausgetragen wurden, lag der Schnitt bereits bei 45'415 Zuschauern. Dies entspricht einem Total von 5'676'953 Zuschauern in einer Saison.[30] Dass dieser Wert in den letzten Jahren eher stagnierte, ist nicht auf ein geringeres Interesse an den Spielen zurückzuführen, sondern lediglich auf die begrenzte und nicht mehr weiter erhöhte Kapazität der Stadien.

Dabei spielt nicht nur der sportliche Wert eine grosse Rolle, sondern je länger je mehr die finanziellen Einnahmemöglichkeiten für die Vereine, welche von Jahr zu Jahr ansteigen. Der Wettbewerb wird von der UEFA zentral vermarktet. Vor jedem Spiel

---

[30] (UEFA.com, UEFA Champions League Statistics Handbook 2013/14, 4. Facts & Figures, p.20, 2014)

wird die legendäre Hymne abgespielt und in allen Stadien sind die gleichen Sponsoren vertreten. Ob in Madrid, München oder London, die UEFA Champions League ist überall in Europa erkennbar, unabhängig vom Stadion, in welchem gerade gespielt wird. In der Spielzeit 2013/14 hat die UEFA den teilnehmenden Vereinen der Königsklasse 904 Mio. Euro überwiesen. Diese Summe setzt sich zusammen aus einer Teilnahmeprämie, aus Leistungsprämien und eines Marktpools, der die Fernsehübertragungsrechte beinhaltet. Die Teilnahmeprämie, die jeder Verein unabhängig vom Erfolg erhält, liegt bei 8,6 Mio. Euro. Jeder Sieg in der Gruppenphase wird mit einer Million Euro belohnt, ein Unentschieden wird mit einer halben Million Euro entschädigt. Die sechzehn Teams, welche sich für die Achtelfinals qualifizierten, erhielten als Prämie weitere 3,5 Mio. Euro gutgeschrieben. Für das Weiterkommen in die Viertelfinals verteilte die UEFA weiter an jeden Verein 3,9 Mio. Euro, für die Halbfinalqualifikation deren 4,9 Mio. Euro. Real Madrid, der Sieger der UEFA Champions League 2013/14, strich für den Finalsieg zusätzliche 10,5 Mio. Euro ein. Für Atlético Madrid gab es für die Niederlage im Final in Lissabon immerhin noch 6,5 Mio. Euro als Trostpreis. Die beiden Finalisten der UEFA Champions League in der Saison 2013/14, Real Madrid und Atlético Madrid, erspielten sich zusammen sagenhafte 107,4 Mio. Euro. Real Madrid als Sieger des Wettbewerbs erzielte mit 57,4 Mio. Euro den grössten Betrag an Ausschüttungen der UEFA. Erstaunlicherweise liegt nicht der Finalverlierer auf dem zweiten Platz. Aufgrund der grösseren Partizipation am Marktpool liegt Paris SG mit 54,4 Mio. Euro noch vor Atlético Madrid mit 50 Mio. Euro. Dies liegt daran, dass der Betrag aus dem Marktpool in Frankreich lediglich auf zwei teilnehmende Vereine und nicht wie in Spanien auf vier hat verteilt werden müssen.[31]

---

[31] (UEFA.org, Dokumente, Ausschüttungen an die Vereine 2013/14, 2014)

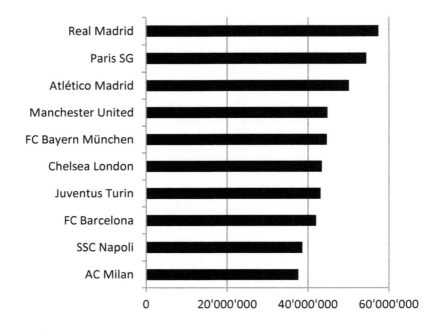

Die Prämien stellen für die Vereine einen grossen Teil der Einnahmen aus der UEFA Champions League dar. Jedoch werden durch Sponsorengelder und Einnahmen aus den Spielen weitere Millionen gescheffelt. Die vier Halbfinalisten kommen, sofern sie sich ohne Qualifikationsspiele für die UEFA Champions League qualifiziert haben, auf insgesamt sechs Heimspiele. Diese sechs Heimspiele spülen den Teams durch Ticketverkäufe und Gastronomie zwischen 15 und 25 Mio. Euro in die Kassen. So kam zum Beispiel Manchester United in der Saison 2012/13 auf durchschnittliche 4,5 Mio. Euro Einnahmen pro Spieltag. Aber auch für den FC Barcelona mit 4 Mio. Euro oder den FC Bayern München mit 3,4 Mio. Euro pro Match sind die Heimspiele ein lukratives Geschäft.[32] Da es sich um Durchschnittswerte aller Heimspiele handelt, dürfte der effektive Betrag noch ein bisschen hö-

---

[32] (Deloitte, Football Money League, 2014)

her ausfallen. Es kann davon ausgegangen werden, dass die Einnahmen aus einer Partie der UEFA Champions League höher sind als diejenigen aus der heimischen Meisterschaft. Für die grossen Klubs gehören diese Einnahmen aus den Heimspielen zur Tagesordnung. Für kleinere Teams wie beispielsweise Austria Wien, welches in der Saison 2013/14 an der UEFA Champions League teilnehmen durfte, machen solche Zusatzeinnahmen den Unterschied aus. Mit den drei Heimspielen gegen den FC Porto, Atlético Madrid und Zenit St. Petersburg flossen mindestens 3 Mio. Euro in die Klubkasse, was rund einen Fünftel der gesamten Einnahmen für die Teilnahme an der Königsklasse bedeutete.[33] Die gesamten Einnahmen aus dem Wettbewerb stellen für die kleinen Teams nicht selten sogar eine Verdoppelung der Budgets dar beziehungsweise die Zukunftssicherung für die nächsten Jahre.

Eine grosse Zahl an Zuschauern auf der ganzen Welt verfolgen die europäische Königsklasse am Fernseher. Dabei greifen die TV-Stationen tief in die Taschen, um den Zuschauern die besten Fussballspiele der Saison zu zeigen. Die Rechte für die Übertragungen werden für jedes Land separat vergeben, teilweise sogar doppelt, für das Free-TV und für das Pay-TV. Für das deutsche Sendegebiet sicherte sich beispielsweise das ZDF die Free-TV-Rechte für 54 Mio. Euro pro Jahr und darf dafür ein Spiel pro Runde live übertragen. Die Rechte für die Übertragungen aller Spiele im Pay-TV liegen bei Sky Deutschland. Der Wert dieser Rechte ist nicht bekannt, dürfte jedoch geschätzt bei über 50 Mio. Euro liegen.[34] Dabei wird ersichtlich, welche Summen die UEFA für die Übertragungsrechte einnimmt, wenn bereits aus einem Land über 100 Mio. Euro für die Rechte generiert werden können. Der Konkurrenzkampf unter den Anbietern ist riesig und lässt die Preise ins unermessliche steigen. So hat sich die Bri-

---

[33] (nachrichten.at, Anpfiff zum Millionenspiel: Schon das Dabeisein ist für die Austria viel wert, 2013)
[34] (Welt.de, Bezahlsender Sky sichert sich die Champions League, 2013)

tish Telecom die Rechte für die UEFA Champions League und UEFA Europa League im Paket für drei Jahre (2015 bis 2018) sagenhafte 897 Millionen britische Pfund, also über eine Milliarde Euro, kosten lassen.[35] Der britische Markt gibt somit mehr als dreimal mehr her als der deutsche. Und dies, obwohl in Deutschland zwei verschiedene Stationen die Spiele übertragen und in Grossbritannien lediglich British Telecom die Rechte erworben hat. Der Konkurrenzkampf im Mutterland des Fussballs mit den weiteren Anbietern Sky oder ITV scheint wesentlich härter zu sein als in Deutschland. Die Fernsehzuschauer danken es den TV-Stationen mit zahlreichem und treuem Zuschauen und bescheren diesen Traumeinschaltquoten. Pro Runde schauen weltweit 112 bis 200 Millionen Fans die Live-Spiele vor den Bildschirmen. Das Finale in Lissabon zwischen Real Madrid und Atlético Madrid im Mai 2014 wurde in über 200 Länder weltweit übertragen. Die durchschnittlich geschätzte Anzahl TV-Zuschauer lag bei 165 Millionen, bei einer Reichweite von unglaublichen 380 Millionen Zuschauern.[36]

Für Sponsoren ist nicht zuletzt aufgrund dieses enormen Zuschauerinteresses die UEFA Champions League sehr interessant. Die UEFA zählt gemäss ihrer Homepage für die Saison 2014/15 acht offizielle Sponsoren. Darunter befinden sich Firmen wie MasterCard, Heineken und Adidas, welche bereits seit Jahren an Bord sind und mittlerweile zur UEFA Champions League gehören wie die offizielle Hymne. Wie viel sich die Firmen ihr Engagement kosten lassen, ist nicht bekannt. Nachdem der ebenfalls langjährige Partner Ford ausgestiegen ist, konnte umgehend mit Nissan ein neuer Sponsor aus der Autobranche vorgestellt werden. Es wird davon ausgegangen, dass sich Nissan die Präsenz an der europäischen Königsklasse ungefähr 55 Mio. Euro pro Jahr

---

[35] (n-tv.de, BT grätscht Sky ab, 2013)
[36] (UEFA.com, Kevin Ashby, Endspiel von Lissabon weltweit verfolgt, 2014)

kosten lässt.[37] Der seit 2005 beteiligte Sponsor Heineken ist Schätzungen zufolge mit einem ähnlich hohen Betrag beteiligt.[38] Seit 2012 neu als Partner an Bord ist das russische Unternehmen Gazprom, welches immer mehr im europäischen Fussball präsent ist. Beim Markenaufbau im westlichen Europa soll der Fussball helfen, den Energiemarkt zu erobern. Auch Gazprom steuert dem Geldspeicher der UEFA anscheinend rund 40 Mio. Euro pro Saison bei.[39] Für die üppigen Zahlungen sind die Sponsoren bei allen Spielen der UEFA Champions League exklusiv mit Bandenwerbung präsent. Auch bei Interviews und Pressekonferenzen sind im Hintergrund die Sponsorenlogos stets gut sichtbar platziert. Die vereinseigenen Sponsoren sind mit Ausnahme der Trikotsponsoren und Ausrüstern von der Veranstaltung ausgesperrt und nicht mit ihren Logos präsent.

Die Einnahmen der UEFA haben in der Spielzeit 2012/13 bereits rund 1,7 Milliarden Euro betragen. In Jahren mit einer Europameisterschaft kommen nochmals etwa 1,4 Milliarden Euro dazu. Gewaltig sind die Unterschiede zwischen den Einnahmen aus der UEFA Champions League und der UEFA Europa League. Die Königsklasse des Fussballs generiert der UEFA Gelder im Umfang von über 1,4 Milliarden Euro, was über 80% der Gesamteinnahmen entspricht. Die UEFA Europa League trägt lediglich mit rund 240 Mio. Euro zum Umsatz des europäischen Fussballverbandes bei.[40] Aus diesen Zahlen wird ersichtlich, welche Wichtigkeit der Wettbewerb der Besten in Europa für die UEFA hat. Ohne diese Gelder würden dem europäischen Fussball unzählige Millionen fehlen, welche zur Weiterentwicklung der Vereine beitragen. Und obwohl nur die Besten in den Genuss dieser Millio-

---

[37] (IMR sports marketing & sponsorship, Can Nissan make success of UEFA rights?, 2014)
[38] (Forbes.com, Ted Marzilli, UEFA Sponsor Heineken Scores High In Champions League Games, 2014)
[39] (TagesAnzeiger.ch, Christian Lüscher, Das zweifelhafte Sponsoring, 2013)
[40] (UEFA.org, Financial Report 2012/13, 2014)

nenzahlungen kommen, fliesst dieses Geld indirekt auch zu den kleineren Vereinen. Durch die vielen Transfers in den jeweiligen Transferperioden wird dieses Geld von oben nach unten weitergereicht und hält somit auch die kleineren Vereine am Überleben. Und dennoch geht die Schere zwischen den Klubs immer weiter auf, weil die Einnahmen aus der UEFA Champions League jährlich mehr werden.

Nicht nur für die Vereine und die UEFA stellt die Königsklasse des europäischen Fussballs eine lukrative Einnahmequelle dar. Die ganze europäische Wirtschaft kann aufgrund des länderübergreifenden Wettbewerbs am Erfolg des Wettbewerbs partizipieren. Grund dafür sind Fans, die für die Spiele weite Reisen auf sich nehmen, an den Spielorten übernachten und allenfalls vor den Spielen die Städte besichtigen, sich verpflegen und sich in Bars auf die Matches einstimmen. Für den Austragungsort des Finals, welcher immer bereits vor Wettbewerbsbeginn feststeht, gibt es einige Millionen an Einnahmen zu generieren. So wurde gemäss Professor Simon Chadwick der Coventry University Business School im Auftrag von MasterCard eine Studie erstellt, welche besagt, dass London für die Austragung des Finals im Jahr 2011 eine Summe von 52 Mio. Euro hat einnehmen können. Für den Final 2010 in Madrid lag dieser Betrag bei 50 Mio. Euro und im Jahr 2009 verzeichnete Rom Einnahmen von 45 Mio. Euro. Die gesamten wirtschaftlichen Auswirkungen des UEFA Champions League Finals im Jahr 2011 in London lagen bei sagenhaften 369 Mio. Euro. Darin enthalten sind neben den Einnahmen der Ausrichterstadt auch die Einnahmen der Vereine, der Heimatstädte der beiden Finalteilnehmer und Aktivitäten in Verbindung mit europäischen Sportindustrie.[41]

Alles in allem ist die UEFA Champions League ein Erfolgsprodukt, das nicht mehr wegzudenken ist. Es wurde von der UEFA

---

[41] (Mastercard.com, Kampf der Giganten im Wembley Stadion, 2011)

zu einem Produkt aufgebaut, welches eine unglaubliche Bekanntheit und Beliebtheit erlangt hat. Auch wenn die Einnahmen in
den nächsten Jahren wohl nicht mehr so stark steigen können,
wie es im letzten Jahrzehnt geschehen ist, so bleibt die Marke
UEFA Champions League ein Erfolgsgarant. Aus diesem Grund
dürften wohl die Fürsprecher für eine neue europäische Liga für
die Spitzenmannschaften aus ein paar wenigen Ländern in Europa verstummt sein. Wieso auch sollte ein neues Produkt geschaffen werden, wenn die Geldmaschine bereits entworfen wurde.

Der erbitterte Kampf der Ausrüster

Als im Sommer 2014 die Weltmeisterschaft in Brasilien angepfif-
fen wurde, begann nicht nur der Kampf um den bedeutendsten
Titel im Fussballsport. Ebenso hart umkämpft war der Wettbewerb unter den Ausrüstern der teilnehmenden Nationalmann-
schaften. Mit Adidas, Nike, Puma, Uhlsport, Burrda, Marathon,
Lotto und Joma waren acht verschiedene Ausrüster vertreten.
Die meisten Teams wurden jedoch von den drei Marktführern,
Adidas, Nike und Puma, ausgerüstet. Gerade der Kampf zwischen der deutschen Firma Adidas und dem amerikanischen Unternehmen Nike ist mit unzähligen Werbeaktionen und Fernseh-
spots unübersehbar. Und so ist es durchaus von Relevanz, welches Team den Weltmeistertitel holt und im grossen Finale präsent ist. In Brasilien hiess die Finalpaarung Deutschland gegen
Argentinien oder Adidas gegen Adidas. Mit den Brasilianern und
den Niederländern flogen beide Nike-Teams in den Halbfinals
raus. Jedoch ist nicht nur der sportliche Erfolg einer Nation entscheidend für ein lohnendes Engagement. Wichtiger dafür ist die
Grösse des Absatzmarktes. Und mit den USA, Brasilien, England, Frankreich oder Australien hat Nike einige Nationalmann-
schaften mit einem sehr grossen Absatzmarkt und grosser Bedeutung unter Vertrag.

Finanziell gesehen sind die Ausgaben für die Nationalmannschaf-
ten als reine Werbeausgaben anzusehen. Nur die wenigstens Verträge lassen sich mit Trikotverkäufen refinanzieren. Die von Nike
ausgerüsteten Teams erhielten rund 136 Millionen Euro. Allein
die Franzosen streichen 40 Mio. Euro pro Jahr ein, nachdem diese durch Nike von Adidas im Jahr 2011 abgeworben wurden.
Adidas bezahlt seinen Nationalteams ungefähr 100 Mio. Euro,
wobei sich vor allem mit den Verkäufen der deutschen Weltmeis-
tertrikots viel Geld verdienen liess. Bei Puma sind die Ausgaben
im Vergleich zu den beiden Grossen doch eher bescheiden. Die

acht ausgerüsteten Teams erhalten gerade mal noch 33 Mio. Euro pro Jahr überwiesen. Zu den von Puma unter Vertrag genommenen Teams gehören beispielsweise Uruguay, Chile oder die Schweiz.[42]

Neben den Teamsponsorings fallen vor und während dem Turnier noch weitere Werbekosten an. Einerseits ist Adidas einer der offiziellen Partner der FIFA. Diese Partnerschaft kostet den deutschen Ausrüster rund 50 Mio. Euro und ermöglicht es, den Spielball herzustellen und die Schiedsrichter und Helfer auszustatten.[43] Natürlich immer so, dass das Adidas-Logo werbewirksam sichtbar ist. Zudem werden mit diversen Spielern Verträge abgeschlossen und Werbekampagnen gestartet. In dieser Hinsicht ist vor allem Nike sehr erfolgreich. Der TV-Spot von Nike zur WM 2014 ist wohl einer der besten und wirkungsvollsten überhaupt. Nicht wenige Zuschauer vor den Bildschirmen hätten wohl auf den amerikanischen Sportartikelhersteller als offiziellen Partner der FIFA getippt. Wie viel die beiden grössten Ausrüster insgesamt für die Aktivitäten rund um die WM ausgegeben haben, wurde nicht veröffentlicht. Da die Umsätze aber gerade in dieser Zeit stark ansteigen und der Kampf um Marktanteile sehr hart umkämpft ist, dürften diese sehr hoch sein.

Auch bei den Klubs sind die Ausrüster zu einer wichtigen Einnahmequelle geworden. Neben dem eigentlichen Engagement des Bereitstellen der Trikots und Trainingskleider fliesst in der Regel noch sehr viel Geld zusätzlich in die Vereinskassen. Dafür erhalten die Ausrüster die Rechte am Vertrieb von Fanartikeln mit dem eigenen Logo drauf. Damit ergeben sich für die Vereine garantierte Einnahmen und die Sportartikelhersteller verdienen Geld an den Verkäufen von Trikots und weiteren Artikeln. Für Aufsehen hat vor allem der Deal zwischen Adidas und Manches-

---

[42] (Focus.de, Gerd Nufer, Ausrüsterschlacht: Darum ist Adidas jetzt Weltmeister, 2014)
[43] (Welt.de, Klaus Geiger, So spielen die WM-Sponsoren die FIFA aus, 2014)

ter United gesorgt. Die Deutschen überweisen dem englischen Rekordmeister ab der Saison 2015/16 jährlich rund 92 Mio. Euro. Der Vertrag wurde über eine Laufzeit von zehn Jahren abgeschlossen und hat somit einen Wert von fast einer Milliarde Euro.[44] Dies ist der mit Abstand bestbezahlte Ausrüstervertrag im Fussballgeschäft weltweit. Aber auch für andere Vereine sind die Verträge mit den Ausrüstern durchaus lukrativ, auch wenn weit weniger hoch dotiert als derjenige von Manchester United. So erhält beispielsweise Real Madrid von Adidas rund 38 Mio. Euro pro Spielzeit. Puma investiert seine Höchstsumme von etwa 35 Mio. Euro in den englischen Traditionsverein Arsenal London. Der FC Barcelona erhält von Nike immerhin noch eine jährliche Summe von ungefähr 33 Mio. Euro.[45]

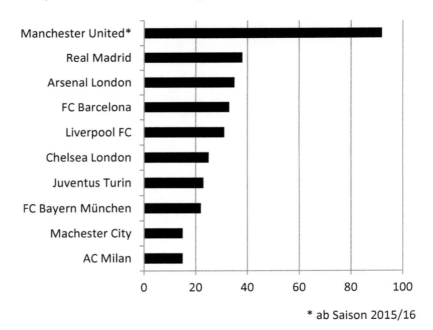

* ab Saison 2015/16

[44] (ManUtd.com, Manchester United plc 2014 Annual Report, 2014)
[45] (TheRichest.com, Pramesh Pudasaini, The 10 Most Expensive Kit Supplier Deals in Football, 2014)

Diese Summen für die besten Teams in Europa scheinen sich für die Ausrüster zu lohnen. Die Umsätze dieser Unternehmen steigen von Jahr zu Jahr an und es werden immer mehr Fanartikel verkauft. Gerade in den neuen Fussballmärkten in Nordamerika und Asien konnten die Absätze gesteigert werden und ist nach wie vor grosses Potenzial für die Zukunft vorhanden. Nichtsdestotrotz führen diese Sponsorings natürlich dazu, dass die Schere zwischen den grossen und kleinen Vereinen weiter auseinanderdriftet. So müssen kleinere Teams in kleinen Ligen nicht selten um Unterstützung von Ausrüstern betteln und gerade mal froh sein, wenn die Trainingsmaterialien und Spieltrikots geliefert werden. Einerseits ist dies aus wirtschaftlicher Sicht verständlich, andererseits wäre gerade auch in diesem Bereich eine ausgewogenere Verteilung durchaus im Sinne des Sports.

In den europäischen Top-5-Ligen sind Adidas und Nike die zahlenmässig grössten Ausrüster der Vereine. Adidas rüstete in der Saison 2013/14 in diesen fünf Spitzenligen 21 Teams aus, Nike brachte es auf die gleiche Anzahl Mannschaften. Ansonsten hat Puma einen ansprechenden Anteil an Teams unter Vertrag. In den Ländern Italien und Frankreich sind vor allem noch die beiden Ausrüster Kappa und Macron präsent. Am lukrativsten ist der englische Markt, auf welchem mit Abstand am meisten Trikots verkauft werden. Die Premier League Teams verkauften in der Spielzeit 2013/14 gesamthaft über 5,1 Millionen Leibchen ihrer Stars an die Fans. Dies wiederspiegelt sich auch in den Einnahmen der Vereine aus den Ausrüsterverträgen. Die Verträge aller Teams aus der englischen Spitzenliga haben eine Wert von 163 Mio. Euro pro Saison. Auf dem zweitem Platz der meistverkauften Spielerleibchen folgte die spanische Primera División mit knapp über drei Millionen verkauften Trikots. Die deutsche Bundesliga kann in diesem Bereich nicht ganz mit diesen beiden Ligen mithalten. In Deutschland wurden im gleichen Zeitraum lediglich 2,3 Millionen Trikots an den Mann gebracht.[46]

---

[46] (Repucom.net, European Football Kit Supplier Report 2014, 2014)

Die prall gefüllten Honigtöpfe der Fernsehstationen

Das Fernsehen ist für den Sport in den letzten Jahren zu einer wichtigen und teilweise sogar zur wichtigsten Einnahmequelle geworden. Viele Sportarten verdienen mit den Fernsehübertragungen eine Menge Geld. Davon hat in den letzten Jahren vor allem der Fussball stark profitiert und die Einnahmen vervielfacht. Je nach Land und Liga werden unglaubliche Summen für die Übertragungsrechte bezahlt. Der Wettbewerb um diese Rechte ist hart umkämpft, was die Preise mal für mal in die Höhe treibt. Das Aufkommen der Pay-TV Anbieter hat den Kampf um die wichtigsten Übertragungen verschärft. Für die Fernsehstationen sind Übertragungen von Sportevents jedoch ebenfalls enorm wichtig. Gerade die Top-Spiele im Fussball sind für die Quoten reine Selbstläufer. Jährlich findet man unter den Top-Einschaltquoten in vielen Ländern Sportübertragungen, vorwiegend Fussballspiele der Europa- und Weltmeisterschaften sowie der UEFA Champions League. In Deutschland sind unter den zehn meistgesehenen Fernsehsendungen aller Zeiten ausschliesslich Fussballübertragungen zu finden. An der Spitze liegt der WM-Final 2014 zwischen Deutschland und Argentinien mit über 34 Mio. Zuschauer und einem Marktanteil von 86,3%. Auch die Weltmeisterschaften von 2010 und 2006 sind ganz oben in der Liste zu finden.[47] Aber auch in anderen europäischen Ländern sind die Spiele der eigenen Nationalmannschaft Publikumsmagnete und erzielen Mal für Mal hohe Einschaltquoten. Daher lohnt es sich für die TV-Stationen, für die Übertragungsrechte überdurchschnittliche Preise zu zahlen.

Am meisten Geld mit den Fernsehrechten nimmt im europäischen Klubfussball die englische Premier League ein. Der 2012 unterzeichnete Deal für drei Jahre hat einen Wert von

---

[47] (Zeit.de, Die Top-10-Quoten aller Zeiten im deutschen Fernsehen, 2014)

3,7 Milliarden Euro, also über 1,2 Milliarden Euro pro Saison.[48] Die Rechte teilen sich Sky Sport und BT Sports. Die Hälfte dieser Summe wird auf alle 20 Teams der Premier League verteilt. Jeder Klub erhält somit unabhängig vom sportlichen Erfolg jede Saison einen Betrag von über 26 Mio. Euro. Die andere Hälfte wird erfolgsabhängig und nach TV-Präsenz verteilt. Weitere 750 Mio. Euro löst die Premier League aus der Auslandsvermarktung der Fernsehübertragungen. Total werden also fast zwei Milliarden Euro an die Klubs verteilt. Als Meister erhielt Manchester City in der Saison 2013/14 beinahe 120 Mio. Euro aus diesem Topf überwiesen. Manche Liga wäre froh, wenn sie diesen Betrag für die gesamte Saison für alle Vereine zusammen erhalten würde. Denn auch der letztplatzierte streicht in der finanzstärksten Liga der Welt mächtig Kohle ein. Cardiff City kassierte in derselben Saison über 75 Mio. Euro, wobei die Rangprämie lediglich 1,5 Mio. Euro ausmachte. Die relativ gleichmässige Verteilung der Gelder lässt die Schere zwischen den Grossen und Kleinen Vereinen nicht noch grösser werden, als diese ohnehin bereits ist. Die englische Premier League wird in 175 Ländern weltweit übertragen und hat über die ganze Saison verteilt kumuliert über vier Milliarden Fernsehzuschauer. Neben der europäischen ist vor allem auch die asiatische Bevölkerung sehr stark mit den englischen Vereinen verbunden.[49] Auf die Saison 2016/17 hin wird ein neuer TV-Vertrag abgeschlossen. Und dieser dürfte nochmals einiges höher dotiert sein wie der vorherige. Es wird davon ausgegangen, dass die Summe für drei Jahre auf etwa 5 Milliarden Euro ansteigen wird. Unter anderem zeigen neu Apple und Google Interesse an den Fussballübertragungen, was vor allem der Preistreiberei nützlich ist. Bei 154 übertragenen Spielen würde

---

[48] (InsideWorldFootball.com, Andrew Warshaw, Premier League sells three-year live TV rights package for record £3 billion, 2012)
[49] (PremierLeague.com, Season Review 2013/14, 2014)

für jedes übertragene Spiel dann etwa 8,5 Mio. Euro bezahlt werden.[50]

Die deutsche Bundesliga hinkt in diesem Bereich noch einige hundert Millionen hinterher. Aber auch die deutschen Profiteams kommen jährlich in den Genuss von schweren Geldsäcken aus der TV-Vermarktung. Jedes Jahr generiert die Deutsche Fussball Liga 642 Mio. Euro aus den nationalen Fernsehgeldern. Aus der internationalen Vermarktung kommen nochmals 67,5 Mio. Euro dazu, was jedoch gegenüber der Premier League weniger als ein Zehntel ist. Gerade in diesem Bereich ist für die Bundesliga also noch ein grosses und vor allem ungenutztes Potenzial vorhanden. Massgebend für die Verteilung der TV-Gelder sind in Deutschland die Tabellenplätze der letzten fünf Jahre. Die Rangprämien für die jeweilige Saison ist dagegen eher knapp bemessen. Der Meister beispielsweise erhält 3 Mio. Euro Prämie aus dem Topf der Fernsehgelder. In der Saison 2014/15 erhielt Bayern München vor Saisonstart 47,5 Mio. Euro ausbezahlt und könnte somit mit dem Gewinn der Meisterschaft auf über 50 Mio. Euro kommen. Verglichen mit dem Meister der englischen Premier League ist dieser Betrag weniger als halb so gross, ja sogar der letzte der besten Liga der Welt bekommt noch 25 Mio. Euro mehr als der Branchenprimus aus Deutschland. Die Ligaaufsteiger Köln und Paderborn erhielten zu Beginn der Spielzeit 2014/15 gerade noch 19,9 Mio. Euro bzw. 18,6 Mio. Euro.[51] In England erhalten die kleinen Klubs also nicht nur einiges mehr ausgeschüttet, auch die Verteilung ist auf der Insel gerechter und gleichmässiger geregelt. Ein weiterer Unterschied ist darin zu finden, dass in Deutschland auch die Vereine aus der 2. Bundesliga Geld aus der TV-Vermarktung erhalten. In England werden die Gelder ausschliesslich auf die Vereine der höchsten Spielklasse verteilt.

---

[50] (Mirror.co.uk, Andy Dunn, Premier League set for £4 billion TV deal for 2016-19 with bidding war to begin in new year, 2014)
[51] (Kicker.de, Rainer Franzke, TV-Gelder: Bayern kann die 50 Millionen knacken!, 2014)

Überholen lassen musste sich die Bundesliga von der französischen Ligue 1. Diese erhält von 2016 bis 2020 jede Saison 748,5 Mio. Euro. Den grössten Teil der Übertragungsrechte hält Canal+ mit einer finanziellen Beteiligung von 540 Mio. Euro. Als zweite Fernsehstation überträgt BeIN Sports Spiele der französischen Spitzenklasse.[52] Der Sender ist im Besitz der Qatari Sports Investments. Besser bekannt ist BeIN Sports unter dem Vorgängernamen Al Jazeera Sports. In Italien wird die Serie A von 2015 bis 2018 von Sky Italia und Mediaset übertragen. Sky Italia überweist der Liga dafür 572 Mio. Euro. Mediaset, die Firma von Silvio Berlusconi, hat die Rechte für die acht Top-Teams der Serie A erworben und bezahlt dafür zusätzlich noch 373 Mio. Euro. Somit kassiert die Serie A für die Übertragungsrechte pro Saison gesamthaft 943 Mio. Euro.[53]

Ein bisschen anders ist das System in Spanien ausgerichtet. Die Vereine der Primera Division verhandeln die Fernsehverträge einzeln aus und erhalten dementsprechend auch sehr unterschiedliche Beträge bezahlt. Klar oben aus schwingen die beiden Topvereine Real Madrid und der FC Barcelona. Der Abstand zu den weiteren Vereinen wird dann schon sehr gross. Real Madrid nahm in der Saison 2013/14 ungefähr 140 Mio. Euro für die Spiele der nationalen Meisterschaft ein. Mit circa 143 Millionen Euro nahm der FC Barcelona für die gleiche Spielzeit nur marginal mehr ein als der Erzrivale aus der spanischen Hauptstadt. Der Verein mit den dritthöchsten Fernseheinnahmen ist Atlético Madrid. Der Meister der Saison 2013/2014 nahm in derselben Saison lediglich 44 Mio. Euro für die nationalen TV-Rechte ein und liegt somit bei etwa einem Drittel von dem, was die beiden grössten Konkurrenten einstrichen.[54] Solange die Vereine die Rechte selber verkaufen können, wird sich an diesem Umstand

---

[52] (LeParisien.fr, Droits TV Ligue 1 : montant record de 748,5 millions d'euros par an, 2014)
[53] (DIGITALfernsehen.de, Serie A: Sky Italia schnappt sich TV-Rechte, 2014)
[54] (Deloitte, Football Money League, 2014)

auch nichts ändern. Von Seiten der Liga sind aber Bestrebungen im Gang, die auf eine Zentralvermarktung abzielen. Jedoch werden Real Madrid und der FC Barcelona nicht freiwillig auf Einnahmen in Millionenhöhe verzichten.

Natürlich werden nur in den Topligen solch hohe Summen bezahlt. Aber auch die kleineren Ligen kommen mittlerweile auf beträchtliche Summen. Erwähnenswert ist vor allem der Deal aus den Niederlanden. Der Fernsehkanal Fox International schloss einen Vertrag über zwölf Jahre im Wert von knapp einer Milliarde Euro ab. Pro Saison macht dies immerhin noch 80 Mio. Euro aus, welcher an die Klubs der niederländischen Eredivisie verteilt werden kann. Aber auch ein eher kleines Fussballland wie Norwegen kassiert jährlich 53 Mio. Euro für die Übertragungsrechte. Im ungleich grösseren Russland gibt es für die Teams der russischen Premier League lediglich 30 Mio. Euro. Die beiden Alpenländer Schweiz und Österreich kommen immerhin noch auf 26 bzw. 20 Mio. Euro pro Spielzeit. Aber es gibt auch Länder, in denen wesentlich weniger bezahlt wird. So erhält die tschechische Profiliga lediglich 4,3 Mio. Euro pro Saison für die Ausstrahlung der Livespiele. Lohnenswert ist zudem ein Blick über die europäische Fussballlandschaft hinaus. Die Ligen in Amerika und Brasilien können längst mit den besten in Europa mithalten und nutzen ihr gewaltiges Marktpotenzial. Die amerikanische Major League Soccer kommt für die Inlandvermarktung bereits an gutes europäisches Niveau heran und streicht jährlich rund 70 Mio. Euro ein. Dieser Vertrag läuft bis ins Jahr 2022 und bis dann dürfte sich der Fussball in den USA nochmals stark weiterentwickelt haben und das Interesse in der Bevölkerung weiter gestiegen sein. Es kann also davon ausgegangen werden, dass der aktuelle Betrag noch längst nicht ausgereizt ist. Schon um Welten weiter ist der Fussball in Brasilien und mittlerweile nimmt auch die Wirtschaft Fahrt auf. Dies wirkt sich natürlich auch für die Fussballvereine positiv aus, die dadurch mehr Geld einnehmen können. Die Fernsehrechte an den Spielen der höchsten brasilianischen Liga bringen bereits heute jährlich 240 Mio. Euro ein und auch da dürfte die Tendenz wohl eher steigend sein. [55]

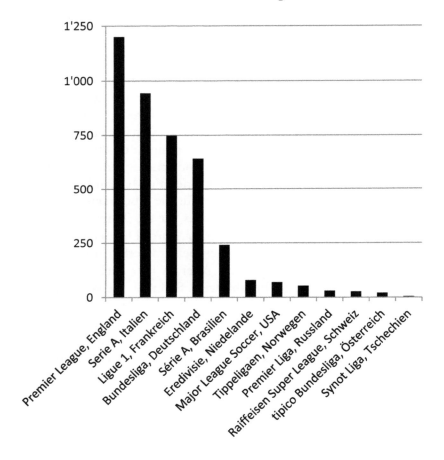

Getoppt werden die europäischen Fussballligen lediglich von den populärsten Sportarten aus den USA. So haben beispielsweise die beiden Medienkonzerne Time Warner und Walt Disney die Rechte an der Basketballliga NBA für neun Jahre gekauft und bezahlen dafür sagenhafte 18,5 Milliarden Euro. Dies macht dann pro

---

[55] (Sportspromedia.com)

Saison ganze zwei Milliarden Euro und ist damit der höchstdotierte TV-Deal in der Geschichte der NBA. Die National Football League, die Profiliga im American Football, unterzeichnete im Herbst 2014 einen Vertrag über acht Jahre, welcher Einnahmen von 1,1 Milliarden Euro pro Spielzeit einbringt.[56] Jedoch ist dieser Betrag nur ein Teil der Gesamteinnahmen, welche die NFL aus den Fernsehverträgen einnimmt. Der Markt und vor allem das Interesse am Sport ist riesig, so dass jeder Kanal die Spiele übertragen möchte. Der Sportkanal ESPN bezahlt beispielsweise für die Übertragungen der "Monday Night Football" beinahe 1,5 Milliarden Euro jährlich. Wie viel genau die NFL gesamthaft einnimmt, ist nicht ganz klar. Jedoch erhält jeder Klub der National Football League ab 2016 ungefähr 140 Millionen Euro jährlich aus den TV-Geldern.[57] Bei 32 Teams in der Liga macht dies einen stolzen Betrag etwa 4,5 Milliarden Euro. Je nach Quelle wird sogar gemunkelt, dass die Fernseheinnahmen der NFL über 5 Milliarden Euro pro Jahr liegen. Die Berechnung der Gesamtsumme ist deshalb nicht ganz einfach, weil jedes Team neben den nationalen TV-Verträgen auch einzelne Kontrakte mit regionalen Fernsehstationen abschliessen kann. Es ist also eine Art Mischung aus Zentralvermarktung und Einzelvermarktung, welche sich durch die Grösse des Landes und die Medienvielfalt in den USA ergibt. Gleich wie in Europa ist jedoch der Fakt, dass die TV-Einnahmen die grössten Einkommensposten darstellen und diese Hauptverantwortlich für die rasante Entwicklung des Sportbusiness sind.

---

[56] (FinancialTimes.com, Matthew Garrahan und Shannon Bond, NBA lines up $24bn TV deal as demand for live sports escalates, 2014)
[57] (SportsBusinessDaily.com, Daniel Kaplan, TV money up 20 percent for NFL clubs, 2014)

Das ungebrochene Interesse am Stadionbesuch

Der Besuch einer Sportveranstaltung, insbesondere eines Fussballspiels, gehört für viele Menschen zu den beliebtesten Wochenendbeschäftigungen. Die Stadien werden in Massen besucht und man verbringt mit Freunden und Gleichgesinnten ein paar Stunden beim Spiel der Lieblingsmannschaft. Man freut sich zusammen über die Erfolge des eigenen Teams und ärgert sich gemeinsam über Niederlagen. In den letzten Jahren sind immer wieder neue Stadien gebaut worden, alte wurden erneuert und die Kapazitäten wurden ausgebaut. Der Komfort in den Arenen der Neuzeit ist so hoch, dass beispielsweise im Fussball auch der Frauenanteil auf den Zuschauerrängen stetig ansteigt. Mittlerweile besuchen pro Saison über 163 Mio. Menschen europaweit die Spiele der Profiteams.[58]

Die meisten Zuschauer verzeichnen die deutsche Bundesliga und die englische Premier League. Dabei liegt die Bundesliga mit durchschnittlich 43'500 Zuschauern pro Spiel in der Saison 2013/14 klar an der Spitze. Die englische Spitzenliga kommt in der gleichen Spielzeit auf einen durchschnittlichen Wert von 36'600 Zuschauern pro Match. Die weiteren Ligen der Top 5 liegen da schon weit abgeschlagen zurück. In Spanien besuchen im Schnitt 26'800 Fans die Partien der Primera División, die italienische Serie A kommt auf 23'300 und die französische Ligue 1 auf 20'900 Besucher pro Spiel. Während in Deutschland, England, Spanien und Frankreich die Zuschauerzahlen teils deutlich angestiegen sind, so verzeichnete Italien in den letzten Jahren einen regelrechten Einbruch. In der Saison 1997/98 besuchten noch durchschnittlich 31'200 Fans die Spiele der Serie A, womit man europaweit an der Spitze lag. Seit dann ging es aber nur noch abwärts mit einem aktuell mehr als 20% geringerem Zuschauer-

---

[58] (UEFA.org, Benchmarking-Bericht zur Klublizenzierung für das Finanzjahr 2012 , 2014)

schnitt als zu diesen Zeiten.[59] Diese Zahlen zeigen eindeutig den Zusammenhang zwischen modernen und neuen Arenen und einem gesteigerten Zuschauerzuspruch. In Deutschland und England sind in den letzten Jahren viele Stadien modernisiert oder sogar neu erstellt worden. Gerade Italien hat noch sehr viele alte Stadien, was kombiniert mit gravierenden Sicherheitsproblemen rund um die Spiele die breite Masse abschreckt, den Spielen der Serie A beizuwohnen. Ausnahmen bilden dabei lediglich die grossen Klubs mit internationaler Ausstrahlung und einigermassen modernen Stadien. Auch in Spanien ist die Situation ähnlich, ohne die beiden Topvereine Real Madrid und FC Barcelona läge der Schnitt ebenfalls deutlich tiefer.

Mit den grossen fünf Ligen kann vor allem die niederländische Eredivisie mithalten. Durchschnittlich besuchen 19'500 Fans die Spiele, wobei vor allem Ajax Amsterdam mit über 50'000 Zuschauern pro Spiel den Schnitt deutlich anhebt. Die weiteren europäischen Fussballländer können mit diesen Zahlen nicht Schritt halten. Sogar die zweithöchsten Ligen in Deutschland und England übertrumpfen die restlichen europäischen Ligen deutlich.[60] Dies hängt einerseits mit dem generell grösseren Interesse am Fussball und der höheren Bevölkerungsanzahl zusammen. Andererseits ist es aber auch ein Resultat aus der grösseren Leistungsdichte in diesen beiden Ländern. Viele Traditionsvereine, welche früher regelmässig in der höchsten Klasse vertreten waren, rutschten dadurch eine Liga tiefer. Dennoch können diese Vereine nach wie vor auf viele Fans zählen, welche die Spiele weiterhin besuchen.

---

[59] (www.statista.com, 2014)
[60] (European-Football-Statistics.co.uk, Attendances, 2014)

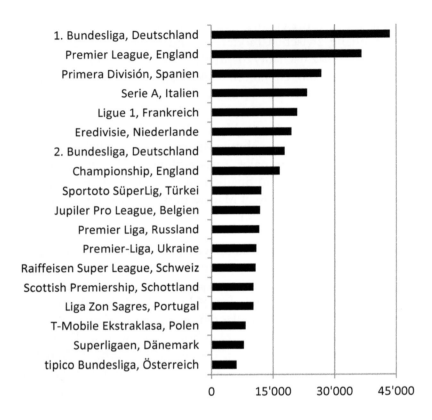

1. Bundesliga, Deutschland	
Premier League, England	
Primera División, Spanien	
Serie A, Italien	
Ligue 1, Frankreich	
Eredivisie, Niederlande	
2. Bundesliga, Deutschland	
Championship, England	
Sportoto SüperLig, Türkei	
Jupiler Pro League, Belgien	
Premier Liga, Russland	
Premier-Liga, Ukraine	
Raiffeisen Super League, Schweiz	
Scottish Premiership, Schottland	
Liga Zon Sagres, Portugal	
T-Mobile Ekstraklasa, Polen	
Superligaen, Dänemark	
tipico Bundesliga, Österreich	

0   15'000   30'000   45'000

Wenn man sich die Zuschauerschnitte der einzelnen Vereine ansieht, wird ebenfalls ersichtlich, dass vorwiegend die deutschen und englischen Vereine und den beiden spanischen Grossklubs obenauf liegen. Europaweit belegt Borussia Dortmund mit einem Zuschauerschnitt von 80'295 Fans pro Spiel in der Saison 2013/14 den Spitzenplatz, gefolgt von Manchester United mit 75'205 Zuschauern pro Heimauftritt. Mit dem FC Barcelona, Real Madrid und dem FC Bayern München haben noch drei weitere Vereine einen Schnitt von über 70'000 Zuschauer. Dass diese Teams oben dabei sind, ist nicht verwunderlich. Bemerkenswert jedoch ist, dass unter den Top 10 auch Borussia Mönchengladbach und Hertha BSC mit über 50'000 Fans pro Partie klassiert sind. Bezeichnend dafür ist ebenfalls, dass in diesen Top 10 nicht weniger als sechs deutsche Vereine vertreten sind. Neben den genannten vier Klubs gehören auch der FC Schalke 04 und der Hamburger SV zu den europäischen Zuschauermagneten.[61]

Aufgrund dieser Zahlen könnte man die Schlussfolgerungen ziehen, dass auch die deutschen Vereine am meisten Geld an den Spieltagen einnehmen. Dem ist jedoch nicht so. An der Spitze liegt Manchester United mit einem Umsatz aus den Spielen von über 127 Mio. Euro. Auf den weiteren Podiumsplätzen folgen Real Madrid und der FC Barcelona mit 119 beziehungsweise 117,6 Mio. Euro. Ebenfalls im dreistelligen Millionenbereich liegt

---

[61] (FootballEconomy.com, Top 100 European Football Clubs Ranked by Average Attendance 2014, 2014)

nur noch Arsenal London mit etwas über 108 Mio. Euro. Von den deutschen Vereinen kann der FC Bayern München am meisten Einnahmen aus den Spielen verbuchen. Mit den 87,1 Mio. Euro liegt der deutsche Rekordmeister jedoch weit hinter den Topverdienern zurück. Noch viel extremer ist die Differenz zum Zuschauerkrösus Borussia Dortmund, welcher gerade mal knapp 60 Mio. Euro pro Saison an Zuschauereinnahmen verbuchen kann.[62] Dieser Betrag liegt damit mehr als halb so tief wie derjenige von Manchester United.

Diese Unterschiede liegen in den stark auseinanderklaffenden Ticketpreisen in den verschiedenen Ländern. Dass die deutschen Vereine bei den Zuschauereinnahmen hinterherhinken, ist vor allem darauf zu führen, dass in der Bundesliga für alle bezahlbare Eintrittspreise verlangt werden. Bei Bayern München ist die günstigste Saisonkarte bereits für rund 140 Euro zu bekommen. Die teuerste Dauerkarte kostet etwa 750 Euro für eine Spielzeit. Bei vielen Klubs der englischen Premier League kostet die günstigste Saisonkarte mehr als die teuerste beim deutschen Rekordmeister. Arsenal London verlangt für die günstigste Saisonkarte sagenhafte 1'300 Euro. Die günstigste Saisonkarte in der Premier League erhält man erstaunlicherweise bei Manchester City für 380 Euro in der tiefsten Kategorie. Am meisten Geld für ein einzelnes Spiel zahlt man beim FC Chelsea London. Die günstigste Karte kostet etwa 65 Euro, was etwa den teuersten Eintrittspreisen in der Bundesliga entspricht. Ebenfalls viel Geld ausgeben kann man in Spanien und Italien, wobei die Preisgestaltung ausgewogener ausfällt als in England. So erhält man beispielsweise bei der AC Milan Saisonkarten im Bereich von 200 bis 4'600 Euro, wobei auch Einzeleintritte bereits ab 20 Euro angeboten werden. Die günstigsten Eintritte mit etwa 7,50 Euro findet man beim OSC Lille in Frankreich oder bei Malmö FF in der schwedischen Allsvenskan. Die günstigsten Saisonkarten hingegen erhält man in

---

[62] (Deloitte, Football Money League, 2014)

Portugal. Bei Sporting Lissabon ist man bereits ab 70 Euro eine Saison lang hautnah mit dabei.[63]

Bei der Festsetzung der Eintrittspreise haben verschiedene Faktoren einen Einfluss. Hauptsächlich entscheidend sind sicherlich die Qualität der Liga und das Zuschauerinteresse in der entsprechenden Stadt beziehungsweise im ganzen Land. Jedoch spielt auch die wirtschaftliche Situation eines Landes eine Rolle, was gerade das Beispiel Portugal sehr gut zeigt. Aber auch in Spanien und Italien werden günstige Tickets angeboten, um der breiten Bevölkerung einen Matchbesuch zu ermöglichen. Und dennoch nehmen beispielsweise Real Madrid und der FC Barcelona mehr Geld ein als die deutschen Vereine. Dies ist darauf zu führen, dass die teuersten Tickets einiges mehr kosten als in Deutschland. In der Bundesliga vertritt man mehrheitlich die Meinung, dass ein Matchbesuch für alle erschwinglich sein soll und dies in möglichst allen Kategorien. Man hört immer wieder, dass die Vertreter der Vereine die Fans als Basis sehen, welche nicht vergrault werden darf. Die Zuschauerzahlen an sich geben den Bundesligisten durchaus recht, jedoch hinken sie bei den Einnahmen so weit hinter den Engländern her, dass die Wettbewerbsfähigkeit durchaus geschwächt wird. Denn auch in England sagen die Vereine, dass ihr Modell funktioniere, da auch dort die Stadien sehr gut ausgelastet sind.

Wird nämlich die prozentuale Auslastung der Stadien als Massstab genommen, so schneidet die Premier League besser ab als die Bundesliga. In den fünf Saisons ab Sommer 2008 lag die durchschnittliche Auslastung in der englischen Spitzenliga bei durchschnittlich 93%, in Deutschland lag diese mit 91,6% leicht tiefer. An diesen Wert kommt nur die niederländische Eredivisie heran, in welcher die Stadien im selben Zeitraum zu 89,3% besetzt waren. Die weiteren Top-Ligen hinken da doch relativ weit

---

[63] (BBC Sport, Price of Football study, 2014)

zurück. In der Ligue 1 in Frankreich betrug die durchschnittliche Auslastung 72,5%, in der spanischen Primera División 65,5% und in der italienischen Serie A lediglich 57,7%.[64] Dies ist vor allem darauf zurückzuführen, dass viele schwächere Teams es nicht schaffen, die Massen in die Stadien zu locken, wie es beispielsweise in England und Deutschland durchaus der Fall ist. Daraus kann man schliessen, dass vor allem die Vereine der Premier League die finanziellen Möglichkeiten wohl ausgereizt haben. In der deutschen Bundesliga lassen sich höhere Einnahmen lediglich durch eine Anpassung der Preise erzielen. In Spanien, Italien und Frankreich haben viele Vereine noch Potenzial nach oben, jedoch müsste wohl vorgängig stark in die Stadioninfrastruktur investiert werden, um auch wieder mehr Zuschauer in die Stadien zu locken.

---

[64] (EPFL-Europeanleagues.com, Fan Attendance Review European Leagues 2008-2013, 2013)

Ein Hauch von Amerika in Manchester

Mit 20 Meistertiteln und drei UEFA Champions League Trophäen ist Manchester United der erfolgreichste Klub auf der Insel. Und gemäss Forbes mit einem Wert von über zwei Milliarden Euro der drittwertvollste Verein der Welt. Die Red Devils gehören sowohl sportlich als auch finanziell zur absoluten Weltspitze. Vor allem die Jahre unter Alex Ferguson haben den Verein auf die Stufe gehievt, auf welcher er ist. Unter dem langjährigen Manager des englischen Traditionsvereins wurden Titel um Titel gewonnen. Mit Spielern wie Peter Schmeichel, Eric Cantona, Ryan Giggs, Paul Scholes, Roy Keane, David Beckham oder Cristiano Ronaldo wurde die Ära unter Ferguson geprägt. Manchester United hat in den letzten zwei Jahrzehnten den englischen Fussball dominiert wie kein anderer Verein. Aber auch international konnte sich der englische Rekordmeister immer wieder mal in Szene setzen. Unvergessen bleibt der Triumph im Finale der UEFA Champions League im Frühling 1999 gegen den FC Bayern München, als in der Nachspielzeit das Spiel gedreht und der begehrteste Pokal zurück auf die Insel gebracht wurde. Alle diese Erfolge verhalfen dem Klub auch auf finanzieller Seite zu Höhenflügen. Sponsoren aus der ganzen Welt und vor allem aus dem asiatischen Raum werden Jahr für Jahr zahlreicher. Dies wird sich auch aufgrund der sportlichen Talfahrt nach dem Abgang von Alex Ferguson nicht ändern. Dennoch ist die Konkurrenz durch Klubbesitzer aus Russland oder den Scheichs aus dem nahen Osten stärker und umkämpfter geworden. Vor allem der Stadtrivale Manchester City ist zu einem regelrechten Störfaktor beim Kampf um den Titel in der Premier League verkommen.

Neben den sportlichen Erfolgen in den letzten Jahrzehnten ist auf der finanziellen Seite vor allem die Amerikanisierung in der Organisation einer der Gründe, weshalb man mehr einnimmt als andere Vereine im Land. Europaweit gibt es wohl kein anderer

Fussballverein, welcher so amerikanisch geführt wird wie die Nordengländer. Besitzer von Manchester United ist seit 2005 die amerikanische Milliardärsfamilie Glazer, welche auch das National Football League Team Tampa Bay Buccaneers im Portfolio hat. Die Übernahme ging zwar nicht geräuschlos über die Bühne, die Anhänger der Red Devils waren doch eher verärgert und verängstigt über die Zukunft des Vereins. Malcolm Glazer bezahlte für den Verein ungefähr eine Milliarde Euro, nahm diesen in der Folge von der Börse und auferlegte dem Klub die Kaufsumme als Schulden. Daher blieben seit dem Besitzerwechsel teure Transfers mehrheitlich aus, was sich sportlich aber erst in der Saison 2013/14 erstmals auswirkte. Es wurden viele Transfers von Spielern getätigt, welche ihr Potenzial noch nicht ausgeschöpft hatten und daher noch nicht ganz so teuer waren. Sir Alex Ferguson verstand es, diese Spieler weiterzuentwickeln und Manchester United erfolgreich zu führen. Dennoch versucht die Besitzerfamilie den Wert und die Einnahmen des Klubs kontinuierlich zu steigern. So brachte man im Jahr 2012 den Verein an der New York Stock Exchange wieder an die Börse. Mit dem Börsengang wurden Einnahmen in der Höhe von 233 Mio. Dollar erzielt, welche zur Hälfte an die Familie Glazer und zur anderen Hälfte an den Klub gingen. Die Glazers bleiben jedoch an der Macht, da lediglich ein kleiner Teil der Aktien verkauft wurden.[65] Zu den Aktionären soll unter anderem auch der Starinvestor George Soros gehören, der ein paar Prozent der Aktien beim Börsengang kaufte. Malcolm Glazer starb im Jahr 2014 im Alter von 86 Jahren. Auf die Besitzanteile oder die Geschäfte von Manchester United hatte sein Tod jedoch keinen Einfluss, da er seine Anteile schon seit längerer Zeit an seine Söhne überschrieben hatte.

Gemäss einer Studie von Deloitte erwirtschaftete Manchester United in der Spielzeit 2012/13 einen Umsatz von

---

[65] (Bilanz.ch, Börsengang: Manchester United senkt Aktien-Preis, 2012)

423 Mio. Euro. Dies stellt nach den beiden spanischen Spitzenteams Real Madrid und FC Barcelona sowie dem deutschen Se-
rienmeister FC Bayern München den vierthöchsten Wert aller
Fussballteams dar. Der Stadtrivale Manchester City kommt mit
dem zweithöchsten Umsatz der Premier League Vereine auf einen Umsatz von 316 Mio. Euro, also mehr als 100 Mio. Euro
weniger als Manchester United.[66] Und dennoch sind es andere
Teams aus der englischen Spitzenliga, welche mit Geld um sich
schmeissen. Zum einen ist da das zuvor genannte Team, Manchester City, welches von seinem Besitzer scheinbar unlimitiertes
Geld für Transfers zu Verfügung gestellt bekommt. Aber auch
Chelsea London erfüllt den Trainern praktisch jeden Spieler-
wunsch, egal was es kosten mag. Vor allem dann, wenn der Trainer José Mourinho heisst. Da sind die Glazers doch einiges spar-
samer und bedachter darauf, wie das Geld ausgegeben wird.

Sehr viel Geld nehmen die Klubs aus der Premier League aus
dem Pott der Fernsehgelder ein. Der von der Premier League
abgeschlossene Vertrag stellt den mit Abstand bestbezahltesten
im europäischen Fussball dar, wovon alle 20 Vereine enorm profitieren. Die Einnahmen aus den Livespielen von Manchester
United betrugen in der Saison 2013/14 stattliche 110 Mio. Euro,
obwohl man die Meisterschaft lediglich als Siebter beendete. Der
Grund dafür ist, dass die sportlichen Leistungen bei der Verteilung der Gelder nicht gross ins Gewicht fallen. Jeder Verein erhält einen fixen Anteil von 26,5 Mio. Euro entrichtet. Danach
wird ein zusätzlicher Betrag für die effektiv ausgestrahlten Spiele
fällig. Da aufgrund des grossen Zuschauerinteresses die Spiele
von Manchester United regelmässig live übertragen werden, ist
man da jährlich vorne mit dabei. Der Anteil betrug mit
24 Mio. Euro genauso viel, wie alle anderen Spitzenteams
in England erhalten haben. Die Prämie für den siebten Platz betrug mit 21,2 Mio. Euro lediglich 9,1 Mio. Euro weniger als die

---

[66] (Deloitte, Football Money League, 2014)

Prämie für den Erstplatzierten. Ein grosser Brocken macht schliesslich der Anteil aus der Auslandsvermarktung aus. Die Premier League ist weltweit die am meist beachtete Fussballliga, was sich auch an den Zahlungen für die Übertragungsrechte im Ausland niederschlägt. Jeder Verein aus der englischen Top-Liga erhält daraus nochmals eine Zugabe von 37,5 Mio. Euro.[67]

Auf die Saison 2014/15 ziert ein neuer Hauptsponsor die Trikots der Spieler von Manchester United. Der amerikanische Autokonzern General Motors mit der Automarke Chevrolet sicherte sich mit einem Millionenvertrag die Präsenz auf der Brust des englischen Rekordmeisters. General Motors bezahlt für sieben Jahre eine unglaubliche Summe von etwa 430 Mio. Euro, also rund 60 Mio. Euro pro Saison. Obwohl der Deal als überbezahlt kritisiert wurde, glaubt General Motors, dass die Partnerschaft vor allem im asiatischen Raum die Verkäufe ankurbeln werde.[68] Gerade im asiatischen Raum zählt Manchester United seit der Ära David Beckham auf unzählige Fans und Sympathisanten. Und dennoch scheint dieser Deal eher auf amerikanischem Gigantismus zu basieren, als auf einem wertbasierten Sponsoring. Aber auch da sieht man die Einflüsse aus Übersee durch die Besitzer von Manchester United.

Auf den einen Millionendeal folgte auch sogleich der nächste. Adidas löst Nike ab der Saison 2015/16 als Ausrüster ab und schloss mit Manchester United einen Vertrag für eine zehnjährige Partnerschaft ab. Dieser Deal hat einen Gesamtwert von über 920 Mio. Euro. Die somit jährlich garantierte Summe von 92 Mio. Euro stellt etwa das Doppelte dar, was man bisher von Nike erhalten hat. In der Saison 2013/14 bezahlte Nike rund 46 Mio. Euro, wovon etwa 30 Mio. Euro als garantierte Summe

---

[67] (PremierLeague.com, Season Review 2013/14, 2014)
[68] (Reuters.com, Ben Klayman, GM's Chevrolet jersey sponsorship of Manchester United debuts in U.S., 2014)

und der Rest aus dem Anteil an Fanartikelverkäufen stammte.[69] Dieser neue Ausrüstervertrag wird zu diesem Zeitpunkt als der bestbezahlteste in der Fussballgeschichte angesehen. Der deutsche Sportartikelhersteller wird somit alle Teams des englischen Rekordmeisters ausstatten und auf allen verkauften Fanartikeln präsent sein. Damit hat Adidas mit Manchester United einen weiteren Spitzenverein unter Vertrag. Auch Teams wie Real Madrid oder Bayern München werden von Adidas ausgerüstet.

Aber auch der ehemalige Hauptsponsor Aon bleibt Manchester United treu und pumpt weiterhin viel Geld in den Verein. Der amerikanische Versicherungskonzern übernahm nach Ablauf des Hauptsponsorenvertrages die Namensrechte am Trainingsgelände. Der achtjährige Vertrag ab dem Jahr 2013 bringt den Nordengländern um die 150 Millionen Euro ein. Neben den Namensrechten am Trainingsgelände wird auch die Trainingsbekleidung der Spieler das Logo von Aon tragen.[70] Natürlich kommt bei solchen Deals auch immer die Debatte um den Stadionnamen ins Rollen. Bislang haben sich die Verantwortlichen von Manchester United nicht durchringen können, den Namen Old Trafford zu kommerzialisieren. Wenn man sieht, dass allein das Trainingsgelände über 18 Mio. Euro pro Saison einbringt, kann man sich etwa ausrechnen, auf wie viel Geld damit verzichtet wird. Und es würde nicht erstaunen, wenn die Glazers nicht eines Tages doch schwach werden würden und ein Angebot annähmen. Schliesslich wird der Konkurrenzdruck nicht kleiner. Nur schon der Stadtrivale Manchester City mit den Scheichs im Rücken konnte die finanziellen Möglichkeiten stark ausbauen und setzt den Traditionsverein arg unter Druck.

Dennoch ist das Stadion schon jetzt einer der Gründe für den hohen Umsatz der Red Devils. Kein anderer Fussballverein auf

---

[69] (ManUtd.com, Manchester United plc 2014 Annual Report, 2014)
[70] (BBC Sport, David Bond, Manchester United agree £120m training ground deal, 2013)

der Welt nimmt mehr Geld aus den Spielen ein wie Manchester United. In der Saison 2013/14 lagen die Einnahmen bei 127,3 Mio. Euro.[71] Das Interesse an Spielen ist enorm gross. Das mit einer Kapazität von 76'000 Sitzplätzen ausgestattete Old Trafford Stadion ist meistens ausverkauft. Zudem gehören die Eintrittspreise in England zu den höchsten in Europa. Daher ist es für Manchester United auch extrem bitter, wenn man wie in der Saison 2014/15 international nicht vertreten ist. In der UEFA Champions League oder der UEFA Europa League sind drei Heimspiele garantiert, was gut und gerne einen Umsatz von 15 Mio. Euro einbringt. Die Prämien und Fernsehgelder der UEFA sind dabei noch nicht einmal eingerechnet.

Manchester United wird auch in den nächsten Jahren finanziell ganz oben mitspielen. Die verschiedensten Deals mit Sponsoren und Ausrüster garantieren Millioneneinnahmen bis mindestens ins Jahr 2020. In der Saison 2013/14 wurden ungefähr 5 Millionen Fanartikel auf der ganzen Welt abgesetzt.[72] Und mit jährlichen Werbetouren durch Asien oder die USA werden weitere Fans dazugewonnen. Vor allem die gute Positionierung im asiatischen Markt lässt noch viele Wachstumsmöglichkeiten offen. Bereits heute hat Manchester United eine grosse Anzahl Sponsoren aus asiatischen Ländern. So sind beispielsweise die thailändische Biermarke Singha oder der japanische Nudelhersteller Nissin globale Partner des Vereins. Dazu kommen noch etwa ein Dutzend regionale Partner für den asiatischen Markt hinzu. Zu den Finanzpartnern kann man Banken aus China, Indonesien oder auch Katar zählen. So verwundert es auch nicht, dass die Internetseite des Vereins mittlerweile auf sieben Sprachen verfügbar ist. Neben den üblichen wie Englisch, Spanisch und Französisch können Fans und Interessierte aus China, Japan, Südkorea und dem arabischen Raum die Neuigkeiten um den Verein in der ei-

---

[71] (Deloitte, Football Money League, 2014)
[72] (ManUtd.com, Manchester United plc 2014 Annual Report, 2014)

genen Muttersprache lesen. Dies erleichtert den Zugang zum Klub aus diesen Bevölkerungsgruppen stark, was ein zusätzliches Plus für die Sponsoren aus diesem Raum ist. Weiter werden auch die Gelder aus den Fernsehübertragungen in den nächsten Jahren weiter ansteigen. Es ist sogar vorstellbar, dass Manchester United an die Umsatzzahlen der spanischen Branchenleader Real Madrid und FC Barcelona nahe heran kommt. Voraussetzung dafür ist aber, dass man sich sportlich wieder erholt und regelmässig in der UEFA Champions League mitspielen kann. Die Einnahmen aus diesem Wettbewerb könnten schlussendlich entscheidend sein, ob man beim Umsatz stagniert oder einen Sprung nach vorne machen kann.

Gazprom auf dem Weg nach Westeuropa

Mit mehr als 450'000 Mitarbeitern und einem Umsatz von über 100 Milliarden Euro gehört Gazprom zu den grössten Unternehmen der Welt. Der Erdgaskonzern mit Sitz in Moskau gehört zur Mehrheit dem russischen Staat. Gazprom kontrolliert die russische Gaswirtschaft weitgehend und gilt weltweit als grösster Exporteur von Gas. Mittlerweile werden gemäss eigenen Angaben über 30 Länder mit Gas beliefert. Vor allem durch Erdgasexporte nach Europa und Asien verdient sich Gazprom eine Stange Geld. Die Abhängigkeit von russischem Gas wurde in den letzten Jahren immer grösser, was in der Öffentlichkeit immer wieder zu Diskussionen geführt hat, gerade zu Zeiten der Ukraine-Krise. Das Image des russischen Staatsbetriebs ist denn auch gerade in Europa nicht sonderlich gut. Oftmals wird der russische Gigant aber im Rahmen von Sportveranstaltung wahrgenommen, da die Sponsoringaktivitäten in den letzten Jahren massiv ausgebaut wurden. Vor allem die Engagements im Fussball sind mittlerweile unübersehbar. So sponsert Gazprom neben der UEFA Champions League auch Vereine wie Chelsea London, FC Schalke 04, Zenit St. Petersburg oder Roter Stern Belgrad. Und seit der Vergabe der Fussball Weltmeisterschaft 2018 an Russland zählt man sich auch zu den Partnern der FIFA. Finanzielle Unterstützung wird aber nicht nur im Fussball, sondern auch im Eishockey, Radsport, Volleyball oder Tischtennis geboten. Zudem ist Gazprom Hauptsponsor des Segelteams Esimit Europa 2, mit welchem möglicherweise bald um den America's Cup gekämpft wird. Und es scheint somit fast selbstverständlich und logisch, dass auch die Olympischen Spiele 2014 im russischen Sotschi von Gazprom mitfinanziert wurden.

Der russische Fussball ist im Aufschwung. Die Liga wird von Jahr zu Jahr stärker und immer mehr Stars wechseln für Millionenablösesummen zu Klubs in Russland. Viele reiche Russen gönnen sich einen Fussballklub als Machtsymbol und der Wettbewerb untereinander lässt den Rubel nur so rollen. Auch Gazprom spielt in diesem Millionenspiel eine zentrale Rolle. Seit 2005 ist man Mehrheitsbesitzer am Spitzenverein Zenit St. Petersburg, welcher unter anderem Wladimir Putin und Dimitri Medwedjew zu seinen Fans zählen kann. Daher verwundert es kaum, weshalb sich der staatlich kontrollierte Konzern Gazprom gerade diesen Verein ausgesucht hat, um den Erfolg des russischen Fussballs voranzubringen. Dass Geld im Überfluss vorhanden ist, zeigte sich im Sommer 2012, als für Transfers über 100 Mio. Euro ausgegeben wurden. Allein für den brasilianischen Nationalstürmer Hulk flossen 55 Mio. Euro an den FC Porto. Aber auch das neue Stadion zeigt, wie leichtfertig mit den Gazprom-Millionen umgegangen werden kann. Vor Baubeginn mit Kosten von 185 Mio. Euro budgetiert, wird das Stadion, das einem Raumschiff ähnelt, nach Fertigstellung über eine Milliarde Euro verschlungen haben.[73] Rechtzeitig zur FIFA Weltmeisterschaft in Russland im Jahr 2018 soll die neue Arena mit einer Kapazität von 62'000 Zuschauern fertiggestellt sein. Sportlich konnte Zenit St. Petersburg trotz grosser nationaler Konkurrenz in den letzten Jahren einige Titel gewinnen. Die Höhepunkte waren sicherlich der Gewinn des UEFA Cups im Jahr 2008 und dem anschliessenden Triumph im UEFA Super Cup gegen Manchester United.

Seit 2007 ist Gazprom auch in Deutschland beim FC Schalke 04 als Hauptsponsor präsent. Die Partnerschaft mit dem Team aus Gelsenkirchen stellt die erste ausserhalb Russlands dar. Im Zusammenhang mit dem FC Schalke 04 ist oft von hohen Verbindlichkeiten und von notwendigen Transfereinnahmen die Rede. Wenn man sich jedoch das Stadion und die Sponsorenverträge anschaut, so ist man doch berechtigterweise ein absolutes Spit-

---

[73] (Welt.de, Anja Schramm, Wie Gazprom den europäischen Fussball finanziert, 2014)

zenteam in der deutschen Bundesliga. Dazu beigetragen hat sicherlich auch das Engagement von Gazprom. Der FC Schalke 04 erhält jährlich geschätzte 15 Mio. Euro, was europaweit der achthöchste Betrag mit Trikotwerbung ist. Mit Erfolgsprämien kann sich dieser bereits schon sehr hohe Wert sogar noch erhöhen.[74] Auch für Gazprom soll sich das Geschäft lohnen, indem der Name in Deutschland für den Markteintritt bekannt gemacht wird. Im Jahr 2014 stammen bereits fast 40% der Gasimporte Deutschlands von Gazprom. Zudem übernahm der russische Konzern im gleichen Jahr die Wingas Holding GmbH und damit einen grossen Teil der deutschen Erdgasinfrastruktur. Dazu gehört der grösste westeuropäische Erdgasspeicher und macht damit Deutschland noch abhängiger vom russischen Gas.[75]

Im Sommer 2010 ist Gazprom auch in der serbischen Fussballwelt angekommen. Als Hauptsponsor beim Traditionsverein Roter Stern Belgrad engagiert man sich mit jährlich etwa 3 Mio. Euro. Dafür ist man auf den Trikots und im Stadion mit Bandenwerbung präsent. Zusätzlich sitzt seit 2010 ein Vertreter von Gazprom in der Geschäftsleitung von Roter Stern Belgrad. Dass sich Gazprom kurz vor diesem Engagement 51 Prozent des staatlichen Energieunternehmens in Serbien gesichert hat, dürfte wohl kein Zufall sein.[76] Wie in Deutschland mit dem FC Schalke 04 dürfte ein Fussballverein hilfreich sein, die Marke für den Markteintritt bekannter und populärer zu machen. Im Herbst 2014 kamen sogar Gerüchte auf, dass Gazprom den Belgrader Fussballverein gänzlich übernehmen werde, was sich jedoch nicht bestätigt hat.

---

[74] (Handelsblatt.com, Stefan Merx und Thomas Mersch, Gazprom will über Schalke an den Endkunden, 2011)
[75] (Wirtschaftswoche.de, Andreas Wildhagen und Florian Willershausen, Warum Deutschland Gazprom nicht ausgeliefert ist, 2014)
[76] (Sportspromedia.com, Michael Long, Red Star Belgrade sign multi-million dollar deal with Gazprom, 2010)

Dass Gazprom bei Chelsea London zu den Sponsoren gehört, erstaunt grundsätzlich nicht. Zumal der russische Oligarch und Besitzer des Vereins, Roman Abramowitsch, bei den reichen Gazprom-Bossen nicht ganz unbekannt ist. Abramowitsch hat seine Firma für mehrere Milliarden Euro an Gazprom verkauft. Es erstaunt lediglich, dass Gazprom nicht schon jahrelanger Sponsor von Chelsea London ist, sondern erst seit 2012, also in etwa mit der Einführung des Financial Fair Plays der UEFA. Das Financial Fair Play sieht vor, dass Vereine, welche mehr ausgeben als sie einnehmen, für die europäischen Wettbewerbe ausgeschlossen werden können. Dabei werden nur Einnahmen als solche angesehen, welche von den Vereinen generiert werden. Zahlungen von reichen Klubbesitzern sind deshalb nicht als Einnahmen anzurechnen. Die Summe, welche Gazprom jährlich aufbringt, wurde nie veröffentlicht. Der Verdacht liegt jedoch nahe, dass Gazprom die Zahlungen zum Teil übernimmt, welche sonst von Roman Abramowitsch getätigt worden wären. So kommt Chelsea London den Anforderungen des Financial Fair Plays nach und kann weiterhin mit gleich viel Geld in neue Spieler investieren wie bis anhin. Und damit diese Art von Sponsoring von der UEFA nicht allzu stark hinterfragt und untersucht wird, ist Gazprom zum gleichen Zeitpunkt eine Partnerschaft mit der UEFA eingegangen.

Gazprom unterzeichnete im Sommer 2012 eine Partnerschaft mit der UEFA Champions League. Man zählt sich seitdem zu einem der Hauptsponsoren der Königsklasse des europäischen Fussballs. Die Summe, welche für diese Partnerschaft bezahlt wird, liegt bei ungefähr 40 Mio. Euro pro Saison.[77] Damit erhält man die Fernsehpräsenz in ganz Europa mit Werbespots vor den Übertragungen und in den Pausen sowie direkt in den Stadien durch Werbebanden. Die Bekanntheit des Erdgasriesen dürfte seit dem Engagement in der UEFA Champions League nochmals

---

[77] (TagesAnzeiger.ch, Christian Lüscher, Das zweifelhafte Sponsoring, 2013)

spürbar gestiegen sein. Zudem ist man nicht alleiniger Haupt-sponsor, sondern wird im Kontext mehrerer namhaften Unter-nehmen genannt. Weitere Sponsoren der Königsklasse sind unter anderem MasterCard, Nissan oder Heineken.

Im gleichen Sommer hat sich der Fernsehsender NTV Plus in Russland die Fernsehrechte an den Spielen der russischen Pre-mier Liga gesichert. Besitzer von NTV Plus ist Gazprom, womit man neben dem Engagement bei Zenit St. Petersburg auch noch alle anderen Vereine über die Fernsehgelder unterstützt. Der Deal sichert den Klubs jährlich eine Gesamtsumme von etwa 30 Mio. Euro, welche so indirekt durch das Staatsunternehmen in den Fussball fliesst.[78] Es ist jedoch nicht verwunderlich, dass in Russland so viel Geld in den Fussball und allgemein in den Sport investiert wird. Wladimir Putin gilt als begeisterter Sportfan und ist immer wieder an Sportveranstaltungen anzutreffen. Daher dürfte sich an dieser Entwicklung in den nächsten Jahren kaum etwas ändern.

Um das Image von Russland aufzuwerten sind Sportveranstal-tungen ein geeignetes Mittel. Daher macht es Sinn, Olympische Spiele oder eine Fussball Weltmeisterschaft durchzuführen. Russ-land macht beides. Und Russland wäre wohl nicht Russland, wenn nicht mehr Kohle ausgegeben würde als je zuvor. Für die Olympischen Winterspiele 2014 in Sotschi wurden insgesamt über 30 Milliarden Euro für Wettkampfstätten, Hotels, Strassen oder Bahnlinien ausgegeben. Der grösste Teil dieser Summe wur-de vom Staat und somit vom Steuerzahler aufgewendet. Daher ist es naheliegend, dass auch hier der Erdgasriese Gazprom invol-viert ist. Zwar trat Gazprom nicht als offizieller Sponsor auf, dennoch waren die Investitionen immens. So sollen ungefähr 3,3 Milliarden Euro in diverse Bauprojekte geflossen sein, was

---

[78] (Sportspromedia.com, Michael Long, Three-year TV deal for Russian Premier League, 2012)

immerhin etwa einen Zehntel der Gesamtkosten darstellt.[79] Und die nächsten Sportevents lassen nicht lange auf sich warten. Im Herbst 2014 fand in Sotschi erstmals ein Rennen der Formel 1 statt, welches sich jetzt jedes Jahr wiederholen wird. Im Jahr 2016 ist Russland mit den Spielorten Moskau und St. Petersburg Veranstalter der Eishockey Weltmeisterschaft. Nur ein Jahr später wird dann die Hauptprobe zur Fussball Weltmeisterschaft, der Confederations Cup, durchgeführt. Der Höhepunkt wird dann die FIFA Weltmeisterschaft selber im Jahr 2018 sein, welche in ganz Russland verteilt stattfinden wird. Es wird also auch in Zukunft immer wieder die Möglichkeit für Gazprom geben, sich im Sport in Russland zu engagieren. Und die sportbegeisterte Weltbevölkerung wird noch viele Events erleben, an welchen das Logo von Gazprom auftauchen wird. Mit der im Herbst 2013 vereinbarten Partnerschaft mit der FIFA für die Weltmeisterschaft 2018 in Russland erreicht man neu sogar weltweite Medienpräsenz. Für Gazprom ist dies ein weiterer Schritt, global auf sich aufmerksam zu machen und sich als weltweit tätiges Erdgasunternehmen zu positionieren.

Gazprom ist in der westlichen Welt angekommen und hat sich vor allem über den Fussball in Europa eingenistet. Mit den vielen Engagements wächst natürlich auch die Macht und der Einfluss bei den betreffenden Vereinen und Verbänden. Die Stimmen nach zu viel Einfluss werden immer grösser. Das Beispiel mit den Sponsorings bei Chelsea London und der UEFA führt klar dazu, dass die Kritik und der Überprüfungswille innerhalb der UEFA tief gehalten wird. Zudem gibt es natürlich auch Interessenskonflikte, wenn zwei von Gazprom unterstützte Vereine in den gleichen europäischen Wettbewerben antreten. In den Saisons 2013/14 und 2014/15 wurden beispielsweise der FC Schalke 04 und Chelsea London in der UEFA Champions League in die

---

[79] (Süddeutsche.de, Johannes Aumüller, Kosten für Olympia in Sotschi - Danke, Steuerzahler, 2014)

gleiche Gruppe gelost. Die Frage stellt sich natürlich automatisch, was passieren würde, wenn die beiden in der letzten Runde gegeneinander antreten und das eine Team dem anderen helfen könnte, um in die Achtelfinals einzuziehen. Gegen aussen wird selbstverständlich jegliche Einflussnahme abgestritten und sportliche Fairness propagiert, heikel ist es jedoch trotzdem. Und dennoch muss man die verschiedenen Engagements aus Sicht des Fussballs positiv werten. Dadurch fliesst sehr viel Geld in den Sport, welches zu gewissen Teilen auch in die jeweiligen Jugendmannschaften und deren Ausbildung fliesst. Andererseits ist Gazprom auch ein Reputationsrisiko für den europäischen Fussball. Gerade wenn Russland Machtspiele betreibt und in Unruhen wie in der Ukraine involviert ist, fällt dies durch die Nähe zum Staat auch auf Gazprom nieder. Solange diese Nähe zur russischen Regierung nicht durchbrochen wird, dürfte es für Gazprom schwierig sein, das Image flächendeckend in Europa positiv zu gestalten. Da wird auch der Fussball nichts daran ändern.

Millionen für Transfers und Gehälter

Dass im Fussball viel Geld vorhanden ist und grosse Summen herumgereicht werden, ist gemeinhin bekannt. Für Raunen und Stirnrunzeln sorgen aber vorwiegend die horrenden Ablösesummen für Fussballer und deren grosszügige Gehälter. Oftmals hört man in diesem Zusammenhang die Frage, ob ein Mensch so viel Wert sein kann. Gerade bei Summen im höheren zweistelligen Millionenbereich lösen die bezahlten Summen bei vielen Kopfschütteln aus. Diese Transfers sind jedoch klar in der Minderheit, wechseln doch in jeder Transferperiode hunderte Spieler weltweit den Verein. Für den abgebenden Verein ist die Ablösesumme eine Bestätigung für die geleistete Arbeit und eine finanzielle Entschädigung für den Verlust des Spielers. Der aufnehmende Verein dagegen tätigt Transfers als Investition, in der Hoffnung der gekaufte Spieler bringt die Mannschaft weiter und führt sie zu sportlichen Erfolgen. Für viele Vereine, gerade in kleineren Fussballländern, stellen die Transfersummen überlebensnotwendige Einnahmen dar. Die umsatzstärksten Vereine hingegen stehen vor allem im sportlichen Wettbewerb um die wichtigsten Titel, was die Transfersummen in den letzten Jahren in astronomische Höhen steigen liessen.

Im Sommer 2013 wechselte der brasilianische Superstar Neymar vom FC Santos zum FC Barcelona. Offiziell lag die Ablösesumme für das bei vielen Vereinen begehrte Talent bei 57 Mio. Euro. Später wurde jedoch bekannt, dass bei diesem Wechsel diverse Gelder zusätzlich geflossen sind und Neymar alles in allem einiges teurer war. Handgelder, Vermittlungsentschädigungen oder sogar Zahlungen für gemeinnützige Zwecke liessen den Transfer von Neymar in ganz andere Höhen katapultieren. Mit total 95 Mio. Euro ist der brasilianische Stürmer der teuerste Spieler aller Zeiten. Dass dabei lediglich 17,1 Mio. Euro als eigentliche Transfersumme an den abgebenden Verein, den FC Santos, geflossen sind, ist durchaus bemerkenswert. Immerhin sind zusätzlich 7,9 Mio. Euro an den FC Santos geflossen, da der FC Barcelona Kaufoptionen auf drei Spieler erwarb. Den grössten Teil, sagenhafte 40 Mio. Euro, strich die Firma Neymar & Neymar ein, die Firma des Fussballers und dessen Vaters. Sein Vater strich zusätzlich 9,9 Mio. Euro für zusätzliche Leistungen und als Handgeld ein. Neymar selbst erhielt ein Handgeld in etwa dem gleichen Umfang. Zur Transfersumme kamen ebenfalls 2,5 Mio. Euro zugunsten von Kindern, die in den Favelas von Sao Paolo leben. Alles in allem zeigt der Transfer die heutige Situation im Fussballbusiness sehr gut auf, in welchem längst nicht mehr nur Vereine und Spieler involviert sind, sondern verschiedene Parteien Gelder kassieren.[80]

Obwohl Neymar im Sommer 2013 zum teuersten Spieler wurde, wechselten vorher bereits andere Weltklassespieler nicht gerade zum Schnäppchenpreis ihre Vereine. Wenn es um hohe Ablösesummen geht, hat oftmals auch Real Madrid seine Hände im Spiel. Nicht wenige Top-Transfers wurden vom spanischen Rekordmeister getätigt. So kostete beispielsweise Cristiano Ronaldo im Jahr 2009 bei seinem Wechsel von Manchester United in die Hauptstadt Spaniens 94 Mio. Euro, also lediglich eine Million weniger als Neymar. Aber auch die Summe für Gareth Bale liegt mit 91 Mio. Euro astronomisch hoch. In der Liste der zehn teuersten Transfers aller Zeiten liegt nur ein Spielerwechsel mehr als zehn Jahre zurück. Der Wechsel von Zinédine Zidane im Jahr 2000 kostete Real Madrid bereits dazumal 73,5 Mio. Euro.[81] Zudem ist bemerkenswert, dass die acht teuersten Transfers der Fussballgeschichte ausschliesslich von den beiden spanischen Topvereinen Real Madrid und FC Barcelona getätigt wurden.

---

[80] (Focus.de, Die Millionen-Formel von Neymars Skandal-Transfer, 2014)
[81] (Handelsblatt.com, Die 20 teuersten Spieler aller Zeiten, 2014)

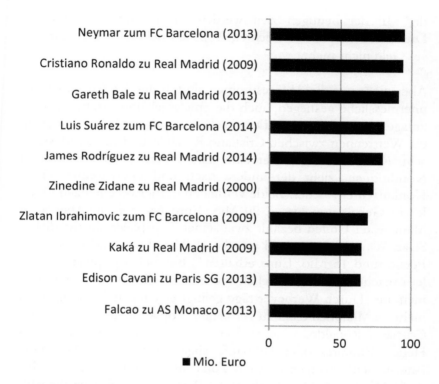

Neymar zum FC Barcelona (2013)
Cristiano Ronaldo zu Real Madrid (2009)
Gareth Bale zu Real Madrid (2013)
Luis Suárez zum FC Barcelona (2014)
James Rodríguez zu Real Madrid (2014)
Zinedine Zidane zu Real Madrid (2000)
Zlatan Ibrahimovic zum FC Barcelona (2009)
Kaká zu Real Madrid (2009)
Edison Cavani zu Paris SG (2013)
Falcao zu AS Monaco (2013)

0   50   100

■ Mio. Euro

Die bezahlten Summen für die besten Spieler sind im Vergleich
zu früheren Zeiten richtiggehend explodiert. Im Jahr 1973 wechselte der Niederländer Johan Cruyff zum FC Barcelona, für gerade mal 1,9 Mio. Euro. Der Superstar Diego Armando Maradona
war in seiner Zeit der teuerste Spieler. Sein Wechsel zum
FC Barcelona im Jahr 1982 kostete den Verein um die
8 Mio. Euro. Diese Summe toppte er gleich selber, als er zwei
Jahre später vom FC Barcelona für 12 Mio. Euro zum
SSC Neapel wechselte. Fünfzehn Jahre später lag die Rekord-
summe bereits bei 25 Mio. Euro, welche von Inter Mailand für
den Brasilianer Ronaldo an den FC Barcelona überwiesen wur-

de.[82] In der heutigen Zeit werden solche Beträge schon für Durchschnittsspieler entrichtet, Topstars bekommt man für dieses Geld nicht mehr.

Aber nicht nur die Ablösesummen sind in den letzten Jahren ins unermessliche gestiegen, auch die Spielergehälter erreichen heutzutage immense Beträge. Dabei scheint es an der Spitze vor allem ein Wettrennen zwischen Cristiano Ronaldo und Lionel Messi zu sein. Kaum verlängert der eine seinen Vertrag zu verbesserten Konditionen, zieht der andere nach und übertrumpft seinen Konkurrenten wieder. Beide verdienen mittlerweile je nach Quelle ein Gehalt von bis zu 20 Mio. Euro pro Saison. Aber auch Manchester United bezahlt zwei seiner Topspieler ein fürstliches Salär. Wayne Rooney soll um die 18 Mio. Euro und Robin van Persie rund 15 Mio. Euro erhalten.[83] Bei vielen populären Spielern macht jedoch das Gehalt nur einen Teil der Gesamteinnahmen aus. Durch Werbeverträge gelingt es einigen Spielern, noch mehrere Millionen dazu zu verdienen. Topverdiener ist dabei klar Cristiano Ronaldo, welcher Verträge mit Nike, Samsung, Tag Heuer, Emirates oder Herbalife abgeschlossen hat. Alle diese Engagements bringen ihm ein Totaleinkommen von jährlich bis zu 56 Mio. Euro. Damit gehört der Portugiese zu den bestbezahltesten Sportlern weltweit. Aber auch Lionel Messi kommt mit einem jährlichen Gesamteinkommen von etwa 50 Mio. Euro auf einen beachtlichen Wert. Den dritten Platz der Einkommensliste nimmt der Schwede Zlatan Ibrahimovic ein, der mit rund 26 Mio. Euro noch knapp auf die Hälfte kommt.[84]

---

[82] (Spiegel.de, Benjamin Knaack, Millionentransfers im Fußball: Die Rekordmänner, 2013)
[83] (Dailymail.co.uk, John Drayton, Is Cristiano Ronaldo, Wayne Rooney or Lionel Messi top of the pile?, 2014)
[84] (Forbes.com, The World's Highest-Paid Soccer Players, 2014)

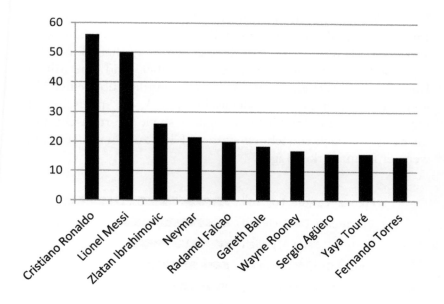

Der Verein mit den höchsten Durchschnittslöhnen ist Manchester City mit knapp 6,6 Mio. Euro pro Spieler. Damit ist der Klub aus dem Norden Englands sportartenübergreifend der bestzahlende Arbeitgeber weltweit. Auf den Plätzen zwei und drei folgen Teams der amerikanischen Baseballliga MLB. Die New York Yankees und die Los Angeles Dodgers bezahlen Durchschnittsgehälter von rund 6,5 Mio. Euro beziehungsweise 6,3 Mio. Euro. Aber auch die beiden spanischen Spitzenvereine Real Madrid und FC Barcelona kommen auf Durchschnittswerte von über 6 Mio. Euro. In den Top 10 befinden sich sechs Fussballvereine und je zwei Teams aus den amerikanischen Ligen MLB und NBA. Dazu gehören die Brooklyn Nets, der FC Bayern München, Manchester United, die Chicago Bulls und Chelsea London.[85]

---

[85] (SportingIntelligence.com, Nick Harris, Man City, Yankees, Dodgers, RM, Barca best paid in global sport, 2014)

Die englischen Vereine zahlen mit Abstand die besten Gehälter. Im Schnitt erhält ein Spieler der Premier League ein Jahressalär von etwa 2,8 Mio. Euro. Die Spieler der deutschen Bundesliga liegen auf dem zweiten Platz, verdienen aber rund eine Million Euro weniger. Weitere Ligen mit durchschnittlich über einer Million Euro Gehalt sind die italienische Serie A, die spanische Primera División, die französische Ligue 1 sowie die russische Premier Liga. Danach entsteht eine grosse Kluft zu den weiteren und weniger finanzstarken Ligen.[86]

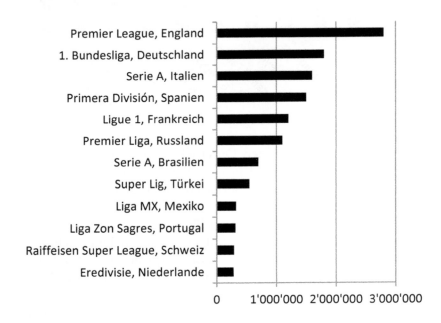

Mittlerweile verdienen auch die Trainer, für die der Fussball ein sehr schnelllebiges Geschäft sein kann, sehr viel Geld. Als Pep Guardiola im Sommer 2013 die Geschicke beim FC Bayern München übernahm, wurde er damit auch zum bestbezahlten Trainer

[86] (Dailymail.co.uk, Nick Harris, Premier League wages dwarf those around Europe, 2014)

der Welt. Pro Saison überweist ihm der deutsche Rekordmeister 18 Mio. Euro. Sein grosser Rivale, der Portugiese José Mourinho, erhält für sein zweites Engagement bei Chelsea London rund 13 Mio. Euro. Auf den folgenden Plätzen landen mit Marcello Lippi, Fabio Capello und Carlo Ancelotti drei italienische Trainer. Dass Carlo Ancelotti bei Real Madrid mit rund 8 Mio. Euro ein stattliches Salär einstreicht, ist für die Verhältnisse bei den Königlichen nicht verwunderlich. Vielmehr erstaunt, dass Marcello Lippi bei Guangzhou Evergrande, einem Klub aus China, etwa 11 Mio. Euro einstreicht. Dies zeigt vor allem, dass aus den neuen Fussballländern mit reichen Investoren, mit möglichst viel Geld Stars eingekauft werden. Daher verwundert es auch nicht, dass Fabio Capello als russischer Nationaltrainer auf ein Gehalt von rund 10 Mio. Euro kommt.[87]

Die Löhne im Fussballbusiness sind für die Topspieler teilweise exorbitant angestiegen, was natürlich zu einer Spirale nach oben führte. Für das Gleichgewicht im Team bietet eine zu grosse Lohnschere durchaus Konfliktpotenzial. Nicht selten fordern Spieler eine Angleichung des eigenen Salärs an jene anderer Spieler. Gerade bei schwankenden Leistungen auf dem Platz kommt schnell mal Missmut und Unverständnis auf und es kann das Teamgefüge und den Zusammenhalt empfindlich stören. Ob die Höhe der Fussballerlöhne grundsätzlich gerechtfertigt ist, wird auch öffentlich oftmals heiss diskutiert. Klar ist, dass Fussballer ihren Job nur eine begrenzte Anzahl Jahre ausüben können. Viele fallen nach der Karriere in ein Loch und brauchen eine gewisse Zeit, um sich aufzufangen. Da ist ein finanzielles Polster durchaus hilfreich. Zudem wird in der Öffentlichkeit bei Diskussionen über Managerlöhne propagiert, dass das Geld nach unten an die Arbeiter verteilt werden soll und nicht nur von den Topmanager eingesackt werden soll. Genau dies passiert ja eigentlich im Fussball. Die Arbeit, welche die Gelder der Vereine generiert, wird

---

[87] (Forbes.com, Chris Smith, Soccer's Highest-Paid Coaches, 2014)

hauptsächlich von den Fussballern erbracht. Daher ist es aus dieser Sicht auch gerechtfertigt, dass diese am meisten verdienen. Und das Geld ist nun mal vorhanden bei den Topvereinen. Nur deshalb kann dieses Geld auch verteilt werden und in höhere Spielergehälter investiert werden.

Südafrikas teures WM-Abenteuer

Eine Fussball Weltmeisterschaft im eigenen Land, für viele Fussballfans, Nationalverbände und nicht zuletzt auch Politiker und Staatschefs ein grosser Traum. Ein Traum, der für die Südafrikaner mit der WM-Vergabe 2010 in ihr Land wahr wurde. Eine Fussball-Weltmeisterschaft in Südafrika, erstmals in der Geschichte auf afrikanischem Boden. Ein ganzer Kontinent war mit Stolz erfüllt und freute sich riesig auf das grösste Sportereignis der Welt. Mit Begeisterung und Lebensfreude wurden die Probleme im Land für einen Monat lang beiseitegelegt. Die im Vorfeld befürchteten Sicherheitsprobleme im südlichsten Staat Afrikas waren während des Turniers kein Thema. Das Fussballfest war während vier Wochen das einzige Thema. Und sogar die Stadien wurden rechtzeitig fertiggestellt, obwohl vor dem Turnier immer wieder über Rückstände im Baufortschritt zu lesen war. Bis zum Ausscheiden der Bafana Bafana, wie die Fussballnationalmannschaft in Südafrika genannt wird, war die Begeisterung in der lokalen Bevölkerung spürbar, egal ob Weisse oder Schwarze, ob Reiche oder Arme, alle standen hinter ihrem Team. Der Start in die Gruppenphase glückte den Südafrikanern nur teilweise. Mit dem 1:1 Unentschieden gegen Mexiko war der Druck für das zweite Spiel gegen Uruguay schon ziemlich gross. Dieses Spiel ging dann auch prompt klar und deutlich mit 0:3 verloren. Im entscheidenden dritten Gruppenspiel gegen Frankreich gelang die grosse Überraschung, man gewann 2:1. Dem Sieg folgten aber keine Freudenfeste, sondern die grosse Trauer über das Ausscheiden. Aufgrund des schlechteren Torverhältnisses flog Südafrika am Heimturnier bereits nach der Gruppenphase aus dem Turnier. Die Stimmung an der ersten Weltmeisterschaft auf dem afrikanischen Kontinent blieb jedoch friedlich und krönte mit Spanien einen verdienten Weltmeister.

Das Turnier verlief so, wie man es sich auch von vorherigen Weltmeisterschaften gewohnt war, friedlich und ohne Zwischenfälle. Das grösste Aufsehen erregten die Afrikaner mit ihren Vuvuzelas, den lärmenden Tröten in den Stadien. Zum einen beschwerten sich TV-Stationen über die störenden Geräusche an den Bildschirmen und zum anderen waren vereinzelt Spieler zu hören, welche sich über die unmögliche Kommunikation auf dem Platz beschwerten. Ein anderer und weitaus bedeutenderer Makel an der Weltmeisterschaft in Südafrika waren die vielen leeren Zuschauerplätze in den Stadien. Zuerst hat man den Grund noch in der Verkehrssituation in den überlasteten Städten zu finden geglaubt. Danach kam jedoch raus, dass die an Unternehmen abgegebenen Eintrittskarten nicht vollständig genutzt wurden. Von verschiedenen Seiten wurde dann moniert, dass die freien Plätze an die einheimische Bevölkerung verschenkt werden soll, was jedoch nicht erfolgte.

Viel zu reden gaben aber vor allem die Kosten für die Stadionbauten, welche zum Teil horrend waren. Das Green Point Stadion, schön gelegen an der Küste in Kapstadt, kostete über 400 Mio. Euro. Das grösste Fussballstadion auf afrikanischem Boden, in welchem unter anderem das Eröffnungsspiel und das Endspiel ausgetragen wurden, steht in Johannesburg und nennt sich Soccer City. Die Arena besteht schon seit etwa dreissig Jahren, wurde aber für die Weltmeisterschaft umgebaut und modernisiert. Die Kosten dafür beliefen sich auf sagenhafte 300 Mio. Euro.[88] Nicht wenige Neubauten werden für wesentlich weniger Geld realisiert. Gesamthaft hat Südafrika für den Bau der Stadien oder deren Modernisierungen 1,2 Milliarden Euro ausgegeben. Zusammen mit Investitionen in Infrastruktur und Telekommunikation kommt eine Summe von 3,2 Milliarden Euro zusammen. Diese Ausgaben schufen kurzfristig etwa

---

[88] (Wirtschaftswoche.de, Südafrikas kostspielige WM-Stadien, 2009)

130'000 neue Jobs, vorwiegend in der Baubranche.[89] Jedoch sind diese Ausgaben in einem Land mit grosser Armut für viele Leute falsch eingesetzt. Die Menschen, die in den südafrikanischen Townships leben, sahen von diesem Geld nichts und haben sich wohl einiges mehr von der Weltmeisterschaft versprochen. Zumal diese Schicht der Bevölkerung auch nicht das Geld besass, um an der WM-Endrunde im eigenen Land die Spiele zu besuchen. Andererseits sind die Investitionen in die Infrastruktur auch eine Investition in die Zukunft des Landes, was bei einer positiven Entwicklung Südafrikas zukünftigen Generationen zu Gute kommen wird.

Als bestes Beispiel ist wohl die Investition in das Eisenbahnnetz zu nennen. Auch wenn die geplante Strecke zwischen Johannesburg und Pretoria nicht rechtzeitig zur Weltmeisterschaft fertiggestellt wurde, so war immerhin ein Streckenteil zum Flughafen in Johannesburg für die ankommenden Fussballfans bereit. Neben dieser Bahnstrecke wurde auch das Nahverkehrsnetz um die neuen Bahnhöfe ausgebaut beziehungsweise eine Anbindung geschaffen. Auch wenn diese Investition etwa drei Milliarden Dollar gekostet hat und schliesslich erst im Jahr 2011 fertiggestellt wurde, langfristig wird sich diese sicherlich auszahlen und der Bevölkerung grossen Nutzen bringen. Gerade auch aus dem Grund, dass das Netz in der Zukunft noch weiter ausgebaut wird und weitere grosse Städte verbunden werden sollen.[90]

Die FIFA hingegen konnte mit der WM in Südafrika ein gutes Geschäft machen. Die Einnahmen aus dem Turnier ohne Ticketeinnahmen beliefen sich auf 3,6 Milliarden Dollar, bei Ausgaben von 1,3 Milliarden Dollar. Den grössten Teil der Einnahmen machen die Fernsehübertragungsrechte aus, welche mit 2,4 Milliarden Dollar zwei Drittel ausmachen. Dazu kommt noch eine Mil-

[89] (FAZ.net, Claudia Bröll, Schöne Stadien und viele Schulden, 2010)
[90] (Zukunft-Mobilitaet.net, Martin Randelhoff, Afrikas erster Hochgeschwindigkeitszug, 2010)

liarde Dollar aus dem Verkauf der Marketingrechte, also vorwiegend die Sponsoreneinnahmen. Bei den Ausgaben fallen die Preisgelder für die teilnehmenden Nationalverbände am meisten ins Gewicht. Diese erhielten von der FIFA 348 Mio. Dollar ausgeschüttet. Die Fernsehübertragungen der 64 WM-Spiele kosteten die FIFA 214 Mio. Dollar. An das lokale Organisationskomitee der Weltmeisterschaft 2010 überwies die FIFA zudem 226 Mio. Dollar. Die Ticketeinnahmen von 300 Mio. Dollar gingen ebenfalls an das Organisationskomitee, welches dann die Ausgaben für die Spiele oder auch Versicherungen für die Spieler übernahm. Dieses Organisationskomitee schloss die Rechnung mit einem Überschuss von 10 Mio. Dollar.[91] Der Überschuss der FIFA von 2,3 Milliarden Dollar aus einem Turnier, das lediglich vier Wochen dauert, ist immens. Dennoch muss die weit verbreitete Meinung der abkassierenden FIFA genauer betrachtet werden. Die praktisch einzige Einnahmequelle bildet eben diese alle vier Jahre stattfindende WM. In den drei Jahren danach bis zum nächsten WM-Jahr hat die FIFA keine Möglichkeiten, grosse Einnahmen zu generieren. In diesen Jahren aber wird vor allem Geld für Events wie Juniorenweltmeisterschaften oder den Frauenfussball ausgegeben. Diese weniger medienwirksamen Wettbewerbe kosten mehr, als dass sie einbringen. Zudem unterstützt die FIFA diverse Entwicklungsprojekte in Ländern, die für den Fussball kein Geld zur Verfügung haben.

Aber nicht nur die FIFA kann rückblickend auf ein erfolgreiches Turnier zurückschauen. Auch der südafrikanische Staat schaut mit Stolz auf die durchgeführte WM im Jahr 2010 zurück. Im offiziellen Bericht zur Weltmeisterschaft wird unterstrichen, dass viele Investitionen in die Infrastruktur ohne den Event nicht getätigt worden wären und das Land nicht soweit wäre, wie es heute ist. Zudem sieht die Welt Südafrika nach der WM in einem positiveren Licht, was für den Tourismus sicherlich hilfreich ist. Über

---

[91] (FIFA Financial Report 2010, 2011)

3,1 Millionen Fans haben die Stadien besucht, was nach der WM 1994 in den USA und der WM 2006 in Deutschland der dritthöchste Wert ist. Zusätzlich besuchten tausende Fans, welche keine Tickets ergattern konnten, die Fan-Feste in den verschiedenen Ausrichterstädten. Präsident Jacob Zuma ist zudem der Meinung, dass Afrika nach dem Sommer 2010 nicht mehr nur als Ort der Entwicklungshilfe angesehen werden sollte, sondern als ein Kontinent, in dem auch Business betrieben werden könne.[92] Der Bericht ist wahrscheinlich gewollt eher wohlwollend verfasst worden, da der eigenen Bevölkerung die Milliardenausgaben gerechtfertigt werden müssen. Die WM hatte auf das Bruttoinlandprodukt im Jahr 2010 einen Einfluss von 0,2% bis 0,4%. Jedoch war dafür lediglich der kurzfristige Aufschwung im Tourismus und der Baubranche verantwortlich. Wirklich verbessert hat sich die wirtschaftliche Situation in Südafrika nicht. Zudem kostet beispielsweise der Unterhalt des teuren Stadions in Kapstadt jährlich etwa 10 Mio. Dollar. Das Stadion steht meist leer, die wenigen Konzerte oder Events, welche Einnahmen generieren, reichen niemals aus, um die Anlage kostendeckend zu betreiben.[93] Das Problem ist, dass die Spiele der nationalen Fussballliga keine solchen riesen Stadien bräuchte. Es werden immer wieder neue Ideen vorgebracht, wie die weissen Elefanten, wie die leeren Stadien in Südafrika genannt werden, genutzt werden könnten. Von Umzügen von Rugbymannschaften über Eventparks bis sogar zum Abriss einzelner Stadien war von vielem die Rede.

Die Wahrheit zwischen den positiven und negativen Stimmen liegt wohl wie so oft in der Mitte. Obwohl die Milliardenausgaben durchaus für anderes hätten verwendet werden können, braucht das Land auch eine Entwicklung der Infrastruktur. Es sind also Investitionen getätigt worden, die ohnehin früher oder später gemacht worden wären. Gerechtfertigt ist sicherlich die Kritik an

---

[92] (www.gov.za, Documents, 2010 FIFA World Cup Country Report, 2013)
[93] (NZZ.ch, Claudia Bröll, Teures Erbe der Fussball-WM 2010, 2014)

den teuren Stadien, welche heute teilweise kaum mehr genutzt werden und nur noch grössere finanzielle Löcher in die Staatskasse reissen. In fast jedem Zeitungsartikel über die WM 2010 ist zudem Kritik an der FIFA zu entnehmen, weil diese mit einem Milliardengewinn davongezogen ist und den Hauptteil der Kosten dem Austragungsland Südafrika überlassen hat. Dazu muss man nochmals die Einnahmen aus dem FIFA Financial Report 2010 betrachten. Dabei ist ersichtlich, dass 3,4 Milliarden Dollar von den 3,6 Milliarden Dollar Gesamteinnahmen aus den Übertragungsrechten und von den Sponsoren stammen. Diese Einnahmen macht die FIFA unabhängig davon, in welchem Land die WM stattfindet. Es ist also nicht ganz korrekt, wenn der FIFA vorgeworfen wird, sie mache im Austragungsland Riesengewinne und lasse diese dann mit Schuldenbergen zurück. Zudem ist eine Bewerbung zur Austragung der Weltmeisterschaft für jedes Land freiwillig und es wird niemand dazu gezwungen. Eine Durchführung der FIFA Fussball Weltmeisterschaft muss aber aufgrund der stets hohen Anzahl an Bewerbern durchaus attraktiv sein. Und auch Südafrika hat bestimmt einen Nutzen daraus gezogen. Einen Monat lang waren die Blicke der ganzen Welt auf den afrikanischen Kontinent gerichtet. Die Sicherheitsbedenken konnten mit einer ohne grossen Zwischenfälle über die Bühne gegangenen Weltmeisterschaft ausgeräumt werden, was auf das Image des Landes am Kap der guten Hoffnung definitiv positiven Einfluss hatte. Inwieweit sich dies auf die Tourismuszahlen ausgewirkt hat und sich in Zukunft auswirken wird, bleibt wohl schwierig zu beantworten. Es liegt aber auch an Südafrika selber, die Chance, die sich mit der Durchführung des wichtigsten Sportereignisses der Welt ergab, zu Nutzen und die Entwicklung nachhaltig weiterzuführen. Die FIFA hat Südafrika sozusagen den Steilpass zugespielt, die Annahme und Verwertung der Chance liegt nun in deren Händen.

FC Bayern München - Europas Vorzeigeverein

In Deutschland ragt ein Verein über allen anderen, in allen Belangen. Der FC Bayern München ist sowohl sportlich als auch finanziell die Nummer eins im Land. Zwar schafft es immer mal ein Verein, den Hausfrieden beim deutschen Rekordmeister zu stören, dies ist aber jeweils nur von kurzer Dauer. Seit Jahrzehnten ist der konstanteste und erfolgreichste Verein in Deutschland der FC Bayern München und daran wird sich über kurz oder lang auch nichts ändern. Kaum eine Saison vergeht, ohne dass zumindest ein Titel gewonnen wird. Die Münchner sind dadurch ein Anziehungspunkt für die besten deutschen Spieler geworden, regelmässig stellen sie die meisten Nationalspieler der deutschen Nationalelf. Von Franz Beckenbauer, Karl-Heinz Rummenigge, Gerd Müller, Paul Breitner oder Lothar Matthäus, Mehmet Scholl, Oliver Kahn, Stefan Effenberg bis zu den heutigen Stars Manuel Neuer, Philipp Lahm und Bastian Schweinsteiger, alle waren oder sind sie Spieler vom FC Bayern München und prägende Figuren des deutschen Fussballs. Die prägendste Persönlichkeit in der Geschichte des deutschen Rekordmeisters ist jedoch zweifellos Uli Hoeness. Zwar musste er bereits früh durch eine Verletzung seine aktive Karriere beenden, jedoch machte er danach als Manager den Verein zu dem, was er heute ist. Seine Leidenschaft und Begeisterung für den Klub von der Säbener Strasse zeigte er offen gegen aussen und kämpfte stets für dessen Wohl, nicht selten mit Nebengeräuschen und Auseinandersetzungen mit Gegnern. Beim FC Bayern München ist immer etwas los, was ihm auch den Übernamen FC Hollywood einbrachte.

Der FC Bayern München kann nicht nur sportlich als Überflieger bezeichnet werden. Auch was die Fanbasis anbelangt, sind die Bayern absolute Spitze. Per Ende November 2014 zählte man bereits mehr als 250'000 Vereinsmitglieder, was deutschlandweit von keinem anderen Verein nur annähernd erreicht wird. Dabei wuchs die Mitgliederanzahl vor allem in den letzten Jahren rasant an. Noch zehn Jahre zuvor waren erst etwas mehr als 100'000 Mitglieder beim FC Bayern München registriert. Ebenfalls eindrücklich ist, dass es um den Verein bereits über 3'700 Fanclubs gibt, welche das Team unterstützen.[94] Der Verein mit den zweitmeisten Mitgliedern ist der FC Schalke 04, der im Vergleich zu den Bayern mit 125'000 gerade noch auf die Hälfte kommt.[95]

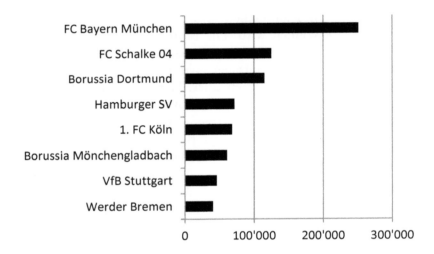

Die grosse Unterstützung für den Verein widerspiegelt sich auch in den finanziellen Möglichkeiten, welche den Münchnern zur Verfügung stehen. Erstmals in der Geschichte des FC Bayern Münchens erzielte man in der Spielzeit 2013/14 einen Umsatz von über 500 Mio. Euro. Mit exakt 528,7 Mio. Euro konnte der Umsatz im Vergleich zur Vorsaison um fast 100 Mio. Euro gesteigert werden. Die grössten Einnahmepositionen stellen dabei

---

[94] (FCBayern.de, Die Mitglieder-Entwicklung des FC Bayern München, 2014)
[95] (www.statista.com, Mitgliederstärkste Vereine der 1. Fussball-Bundesliga, 2014)

die Erträge aus den Spieltagen dar, die mit 140,8 Mio. Euro zum Ergebnis beitrugen. Aber auch die Sponsoring- und Vermarktungserträge mit 117,7 Mio. Euro oder die Einnahmen aus dem Merchandising mit 105,2 Mio. Euro fielen sehr hoch aus.[96] Dabei ist das Potenzial noch nicht ausgereizt. Gerade im Bereich der Spieltageinnahmen hinkt der deutsche Rekordmeister seinen Konkurrenten aus England und Spanien hinterher. Zudem expandiert der Verein in der Vermarktung und im Bereich Merchandising. So wurde beispielsweise in New York ein Büro eingerichtet, um den Klub in Nordamerika bekannter zu machen und weitere Einnahmequellen zu erschliessen. Zudem hat der FC Bayern München in Berlin einen Fanshop eröffnet und ist nun auch in der deutschen Hauptstadt vertreten. Damit werden einerseits die Fans in dieser Region angesprochen, andererseits erhofft man sich auch mehr Einnahmen durch die vielen Touristen in der vielbesuchten Stadt.

Ein wichtiger Bestandteil des Erfolges der Bayern ist das im Jahr 2005 eröffnete neue Stadion, die Allianz Arena. Diese ermöglichte es, die Einnahmen an den Spieltagen zu erhöhen und den Komfort für die Sponsoren und Partner spürbar zu erhöhen. Die für 71'000 Zuschauer Platz bietende Arena war seit der Eröffnung bei allen Pflichtspielen des FC Bayern München ausverkauft. Für den Bau des Stadions haben die Münchner 346 Mio. Euro aufgewendet. Der Finanzierungsplan sah vor, dass die Allianz Arena bis ins Jahr 2030 abbezahlt ist. Dies gelang den Bayern jedoch bereits schon nach weniger als zehn Jahren. Bereits auf Ende des Jahres 2014 ist das Stadion abbezahlt, was die Finanzkraft in den nächsten Jahren weiter verbessern wird. Es wird damit gerechnet, dass pro Saison rund 25 Mio. Euro mehr zur Verfügung stehen werden.[97] Mit diesem Geld wird der Vorsprung auf die nationale Konkurrenz weiter vergrössert und auf

---

[96] (FCBayern.de, Der FC Bayern Konzern mit neuem Rekordumsatz, 2014)
[97] (Sueddeutsche.de, FC Bayern hat sein Stadion abbezahlt, 2014)

internationaler Ebene nähert man sich den Spitzenreitern Real Madrid und FC Barcelona weiter an.

Der FC Bayern München kann durchaus als bestgeführter und gesundester Grossklub der Welt bezeichnet werden. Dazu tragen auch die drei Anteilseigner der FC Bayern München AG bei. Mit je 8,33% beteiligt sind die Unternehmen Adidas, Audi und Allianz. Für die Anteile bezahlten diese Firmen hohe Summen. Adidas musste im Jahr 2001 für damals noch 10% der Anteile 75 Mio. Euro auf den Tisch legen. Bei Audi waren es im Jahr 2009 bereits 90 Mio. Euro, für einen Anteil von 9,09%. Im Februar 2014 schliesslich stieg als Dritter Partner die Allianz ein. Durch eine Kapitalerhöhung im Rahmen dieses Einstiegs halten nun alle drei Unternehmen den gleichen Anteil von 8,33%. Durch den gesteigerten Wert des Vereins und der Marke FC Bayern München musste die Allianz für diesen Anteil bereits 110 Mio. Euro locker machen. Hauptanteilseigner bleibt mit einem Besitzanteil von 75% der FC Bayern München eV.[98] Das Modell mit der Vergabe von Besitzanteilen hat sich für die Bayern ausbezahlt. Nicht zuletzt dank diesen Summen konnte in die Mannschaft und das Stadion investiert werden. Es erstaunt daher nicht, dass beim Rivalen aus Dortmund gerüchteweise ebenfalls Firmen gesucht werden, welche nach diesem Muster einsteigen. Durch die in der Bundesliga eingeführte 50+1 Regel ist eine komplette Übernahme durch ein Unternehmen oder einen reichen Scheich nicht möglich. Verhältnisse wie in der englischen Premier League sind dadurch nicht möglich.

Die soliden Verhältnisse und die hohen Einnahmen veränderten bei den Bossen der Bayern auch die Einstellung zu den Investitionen in die Mannschaft. Lange gab es beim FC Bayern München keine übertrieben teure Transfers, sondern vielmehr wurde in

---

[98] (Abendzeitung-Muenchen.de, 110 Millionen Euro: Allianz steigt beim FC Bayern ein, 2014)

Spieler mit Perspektive oder in günstigere Stars investiert. Auf nationaler Ebene hat dies stets ausgereicht, jedoch wurde der Wettbewerb mit den besten Europas immer schwieriger. Millionentransfers waren noch zu Beginn des 21. Jahrhunderts sehr selten. Zum ersten Mal wurde in der Saison 2003/04 für Roy Makaay eine Summe von 20 Mio. Euro für einen einzelnen Spieler ausgegeben. Bisheriger Rekordtransfer ist der Spanier Javi Martínez, der in der Saison 2012/13 für 40 Mio. Euro nach München wechselte. Aber auch der Zuzug von Mario Götze eine Saison später kostete den deutschen Rekordmeister mit 37 Mio. Euro eine Menge Geld.[99]

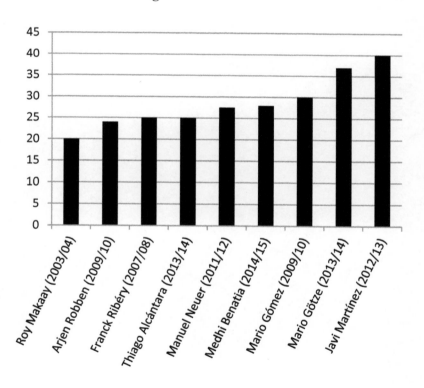

[99] (Transfermarkt.de, FC Bayern München, Alle Transfers, 2014)

Es scheint also fast so, also würden die Verantwortlichen um den FC Bayern München alles richtig machen. Noch vor kurzem konnte Borussia Dortmund die Bayern ernsthaft konkurrieren und sogar zwei Jahre lang in die Schranken weisen. Jedoch haben die Münchner die Lehren daraus gezogen und in eindrücklicher Art und Weise zurück geschlagen. Heute sind sie sogar so stark, dass kein Team aus der Bundesliga auch nur annähernd gefährlich werden könnte. Und ob sich in den nächsten Jahren daran etwas ändern wird, kann sehr stark in Frage gestellt werden. Die Übermacht des FC Bayern München scheint so gross zu sein wie selten zuvor.

Wie eine Weltmeisterschaft in die Wüste kommt

Auf den ersten Blick ist es wohl die überraschendste Entscheidung der Fussballgeschichte, eine Fussball Weltmeisterschaft an Katar zu vergeben. Fussballerisches Niemandsland im Vergleich zu den bisherigen Ausrichtern von Weltmeisterschaften. Hinzu kommen die klimatischen Bedingungen, welche im Sommer die Austragung von Fussballspielen nicht zulassen. Auf den zweiten Blick wird klar, weshalb Katar die FIFA Weltmeisterschaften ausrichten darf. Einerseits kann damit ein neuer Markt für den Fussball erschlossen werden, was für das gesamte Fussballbusiness gewinnbringend sein kann. Andererseits investiert das Land am Persischen Golf viel Geld in das Projekt, um Längen mehr als es andere Ausrichter getan hätten. Und wo mehr ausgegeben wird, können auch mehr Menschen die Hände nach den Geldsäcken ausstrecken. Es profitieren also sehr viele Leute aus den verschiedensten Branchen.

Zum einen müssen Stadien gebaut werden, denn nur deren drei standen bereits zum Zeitpunkt der WM-Vergabe. Diese drei bereits in Betrieb genommenen Stadien werden aber ebenfalls noch aufgerüstet und modernisiert. Alle anderen Stadien existierten noch nicht und wurden mit millionenteuren Projekten angepriesen. War im Jahr 2010 noch von total zwölf Spielorten die Rede, so sind es vier Jahre später noch deren acht. Dafür stehen aber dennoch bis zu 4 Milliarden Dollar zu Verfügung. Obwohl die Kosten für die neuen Stadien bereits beachtlich sind, machen diese nur einen Bruchteil der gesamten Kosten für die Weltmeisterschaften aus. Im Hinblick auf diesen Megaevent budgetiert Katar Investitionen von mehr als 200 Milliarden Dollar. Darin enthalten sind unter anderem 34 Milliarden Dollar für ein Zug- und Metrosystem, 7 Milliarden Dollar für einen Hafen und

17 Milliarden Dollar für einen Flughafen.[100] Es soll eine WM der kurzen Wege werden, die Spielorte liegen alle relativ nah beieinander. Mit den Investitionen in die Infrastruktur werden die Städte im Emirat gut erschlossen sein und den Besuchern einfach zugänglich gemacht. Jedoch wird es wohl eine ganz andere Veranstaltung geben, als dass man sich das von Weltmeisterschaften in den letzten Jahren gewohnt ist. Gerade die Public-Viewings mit feiernden und auch betrunkenen Fans wird es im islamisch geprägten Staat nicht geben. Dennoch wird die Weltmeisterschaft 2022 professionell vorbereitet werden und es wird wohl an nichts fehlen. Die Milliarden aus dem Erdölgeschäft helfen, das Land zu entwickeln und vorwärts zu bringen.

Das Eröffnungsspiel und das Finalspiel der WM in Katar sollen in Lusail City stattfinden. Lusail City ist ein riesiges Projekt der Katarer. Es wird 15 Kilometer nördlich von Doha eine komplett neue Stadt aus dem Boden gestampft, auf einer Fläche von 38 Quadratkilometer. Die Pläne für diese neue Stadt wurden bereits im Jahr 2006 vorgestellt und haben somit nur bedingt mit der Fussball Weltmeisterschaft zu tun. Dennoch dürfte sich die Durchführung des Megaevents positiv auf das Projekt auswirken. So sollen mehrere Hotels und Resorts gebaut werden, um eine Vielzahl von Fans unterzubringen. Dazu entstehen auch zwei Lagunen, zwei Jachthäfen, 25'000 Wohnhäuser für bis zu 175'000 Bewohner, eine Metro mit Anbindung ans öffentliche Verkehrssystem von Doha und 36 Schulen. Um wirtschaftlich erfolgreich zu bestehen, werden ein Geschäfts-, ein Einkaufs- und ein Unterhaltungsviertel aufgebaut.[101]

Wenn es um viel Geld geht, wollen jeweils viele an die Honigtöpfe und die Neider melden sich ebenfalls wortreich. Katar wird

---

[100] (Bloomberg.com, Zainab Fattah und Robert Tuttle, Qatar Cuts Number of World Cup Soccer Stadiums as Costs Rice, 2014)
[101] (Parsons.com, Lusail Development Project, Establishing an Iconic 21st Century City, 2011)

vorgeworfen, für die Vergabe der Weltmeisterschaft mehrere Funktionäre bestochen zu haben. Es vergehen nicht viele Wochen, bis in den Medien von neuen Enthüllungen oder neuen Beweisen die Rede ist. Vor allem aus England sind die Angriffe auf Katar heftig und erfolgen in regelmässigen Abständen. Dabei stellt sich natürlich die Frage, ob England ganz einfach die am besten recherchierenden Journalisten hat oder ob doch der Frust über die Niederlage bei der WM Vergabe noch so tief sitzt. England hat sich bei der Doppelvergabe der Weltmeisterschaften für die Jahre 2018 und 2022 ebenfalls beworben, ist aber kläglich gescheitert. Nicht zuletzt auch deshalb, weil das Verhältnis von England zur FIFA und deren Funktionäre seit Jahren angespannt ist. Aber auch von anderen unterlegenen Ländern wie Japan oder Australien gibt es Kritik. Einer der Kritikpunkte ist unter anderem die schlechte Bewertung seitens der FIFA für die Bewerbung von Katar vor der Vergabe. So wurden gemäss offiziellem Bericht mehrere Punkte mit mittlerem und höherem Risiko bewertet. Beispielsweise wurde bemängelt, dass die grosse Mehrheit der Stadien komplett neu gebaut und die gesamte dazugehörige Infrastruktur erst erstellt werden muss. Dazu kommt die Problematik, dass dadurch keine Erfahrungswerte zur Durchführung bestehen.[102] Dennoch hat sich die Mehrheit der Entscheidungsträger für Katar als Ausrichter der WM 2022 entschieden. Aber die grösste und wohl entscheidendste Frage bleibt, ob die Katarer auf illegalem Weg, also mit Hilfe von Schmiergeldzahlungen, an die Weltmeisterschaftsausrichtung gekommen sind oder nicht. Mindestens zehn von 24 Exekutivmitglieder stehen im Verdacht, Geld angenommen zu haben. So sollen die beiden Vertreter von Tahiti und Nigeria dabei gefilmt worden sein, wie sie ihre Stimme zum Kauf angeboten haben sollen. Die Mitglieder aus Kamerun, Argentinien, Guatemala und Paraguay sollen 20 Mio. US-Dollar erhalten haben. Interessant ist durchaus auch der Fall von Frankreich zu betrachten. Michel Platini, Präsident des europäischen

[102] (FIFA.com, 2022 FIFA World Cup, Bid Evaluation Report: Qatar, 2010)

Fussballverbandes, hat nach einem Abendessen mit dem damaligen französischen Staatspräsidenten Nicolas Sarkozy, dem Emir und dem Premierminister von Katar im Élysée-Palast ebenfalls für den Wüstenstaat votiert. Platini hat nachher auch bestätigt, dass Sarkozy die WM in Katar haben wollte, aber keine Forderungen gestellt habe. Ein bisschen mehr als zwölf Monate später wurde bekannt, dass Laurent Platini, der Sohn von Michel Platini, bei der Qatar Sport Investment in der Chefetage einen Job ergatterte.[103]

Kritik gibt es aber nicht nur von Landesverbänden oder Sportjournalisten. Auch Menschenrechtsorganisationen kritisieren beispielsweise die schlechten Arbeitsbedingungen für die Arbeiter oder die schwulenfeindliche Haltung des Emirats. Auf den Baustellen in Katar sind ausländische Arbeitskräfte, vor allem aus Indien und Nepal, tätig. In den drei Jahren nach der Vergabe der WM sollen etwa 1'200 Arbeiter ums Leben gekommen sein. Die Arbeitsbedingungen sind geradezu sklavenhaft, wenn bei bis zu 50 Grad ohne Pausen gearbeitet werden muss, um die Zeitvorgaben einhalten zu können. Zudem werden die Rechte der Gastarbeiter extrem eingeschränkt, denn über 90 Prozent der Arbeiter müssen den Pass abgeben und erhalten die Löhne nicht oder nur teilweise. In Katar leben etwa 250'000 Menschen mit katarischer Staatsangehörigkeit, aber über 1,4 Millionen Menschen aus anderen Ländern, vorwiegend Süd- und Südostasien.[104]

Neben all diesen Nebengeräuschen um die Vergabe und die Probleme bei der Vorbereitung zur WM 2022 in Katar stellt aus rein fussballerischer Sicht die Hitze während der Spiele im Sommer wohl das entscheidendste Problem dar. Bei Temperaturen von über 40 Grad scheint es ein Ding der Unmöglichkeit zu sein,

---

[103] (Tagesspiegel.de, Stefan Hermanns und Michael Rosentritt, Geld und Spiele, 2014)
[104] (Handelszeitung.ch, Gabriel Knupfer, 1200 Tote: Der Blutzoll der Fussball-WM in Katar, 2014)

attraktive Fussballspiele durchzuführen. Erst hiess es, die Stadien würden mit Kühlsystemen gekühlt, so dass während der Spiele angenehme Temperaturen herrschen würden. Später schien diese Lösung doch zu teuer zu werden und die Diskussionen um eine Verschiebung in den Winter kamen ins Rollen. Aus rein gesundheitlicher Sicht wird wohl eine Winter-WM am sinnvollsten sein. Doch dies ist einfacher gesagt als getan. Der internationale Fussballkalender sieht jeweils die nationalen Meisterschaften von August bis Mai vor. Eine Anpassung dieses Kalenders wäre notwendig. Die nationalen Meisterschaften müssten für mehr als einen Monat unterbrochen werden. Zudem müsste entschieden werden, in welchem Monat die Weltmeisterschaft stattfinden soll. Auch dies ist mit grossen Schwierigkeiten verbunden, da auch eine Kollision mit den Wintersportarten unvermeidlich ist. Im Dezember werden in der englischen Premier League jeweils vor allem zwischen Weihnachten und Neujahr traditionell sehr viele Partien ausgetragen. Im Januar finden unter anderem die Klassiker des alpinen Skisports statt. Und im Februar 2022 finden zudem noch die Olympischen Winterspiele statt. Nicht zu vergessen sind die amerikanischen Sportligen, die auf ein grosses Zuschauerinteresse stossen. Und dabei stösst man bereits auf das nächste Problem, die TV-Übertragungsrechte. Im Sommer ist eine Fussball Weltmeisterschaft im Prinzip konkurrenzlos und deshalb auch viel mehr Wert. Im Winter ist die Konkurrenz viel grösser und gerade auf dem amerikanischen Markt, wo der Fussball nicht die Sportart Nummer eins ist, würde das Interesse wohl spürbar geringer ausfallen. Es stellt sich dann natürlich die Frage, ob bereits abgeschlossene TV-Verträge gültig bleiben oder neu verhandelt werden müssen. Eine Verschiebung der WM in den Winter könnte also nicht nur organisatorisch eine schwierige Aufgabe werden, sondern auch in finanzieller Hinsicht negative Auswirkungen mit sich bringen.

Ob die Weltmeisterschaft wirklich in Katar stattfinden wird, hängt stark von den weiteren Entwicklungen ab. Bis die Bestechungsvorwürfe nicht vom Tisch sind und immer wieder in den Nachrichten von den schlechten Arbeitsbedingungen in Katar die Rede ist, solange wird es auch Stimmen geben, die Weltmeisterschaft 2022 neu zu vergeben. Dies wird jedoch ohne stichfeste Beweise für eine unrechtmässige Vergabe nicht passieren. Und irgendwann wird sich wahrscheinlich jeder damit abgefunden haben, dass die WM auch mal in einem Land durchgeführt wird, welches keine fussballerische Tradition geniesst. Denn auch nachdem der von der FIFA beauftragte Ermittler, Michael J. Garcia, der Ethikkommission des Weltverbandes seinen Bericht überreichte, ist nichts passiert. Die Ethikkommission sprach davon, dass bei fast allen Bewerbern unkorrektes Verhalten vorlag, aber kein solch gravierendes, dass eine Neuvergabe des Turniers nötig sei. Dieser Version widerspricht Micheal J. Garcia zwar, ob dies aber noch was ändern wird ist fraglich. Schliesslich soll sich nun das amerikanische FBI eingeschaltet haben und den Fall untersuchen. Und je mehr Zeit vergeht, umso wahrscheinlicher wird eine WM in Katar. Aber vielleicht ist dies ja dann der Startschuss für eine neue Fussballkultur in einem Land, in welchem diese noch nicht besteht.

Der belgische Fussballstern beginnt zu leuchten

Nach dem Ausscheiden an der WM 2002 in Japan und Südkorea verschwand Belgien fast gänzlich von der europäischen Fussball-bühne. Weder die Nationalmannschaft noch die Teams der heimischen Liga sorgten über Jahre hinweg für Aufsehen. Zwölf Jahre später, mit der Qualifikation für die Weltmeisterschaft 2014 in Brasilien, sieht das Bild anders aus, ganz anders sogar. Sowohl die Liga als auch die Nationalmannschaft können im internationalen Vergleich wieder mithalten. Bei den Roten Teufeln, wie das Nationalteam Belgiens auch genannt wird, ging es gar soweit, dass sie von vielen Experten als Geheimfavorit auf den WM Titel in Brasilien genannt wurden. Ein Grund dafür waren natürlich die starken Leistungen in den Qualifikationsspielen, in welchen kein einziges Spiel verloren ging. Bei acht Siegen und zwei Unentschieden qualifizierte man sich als Gruppensieger souverän vor Kroatien, Serbien und Schottland für die WM Endrunde. Die Erwartungen an ein ebenso gutes Turnier in Brasilien hat die Mannschaft mit dieser Leistung also selbst hochgeschraubt. Und diese wurden erfüllt. Auch wenn Belgien in den Gruppenspielen in Brasilien nicht immer dominierend und überzeugend aufgetreten ist, alle drei Spiele wurden gewonnen und die Achtelfinals mit dem Punktemaximum erreicht. Nach Algerien, Russland und Südkorea wartete nun also die USA als nächsten Prüfstein. Mit einem Sieg in der Verlängerung sicherte man sich einen Platz in den Viertelfinals, wo es dann gegen Argentinien nicht mehr für ein Weiterkommen gereicht hat. Dennoch gehörte Belgien damit zu den acht besten Teams der Weltmeisterschaft in Brasilien, was für ein solch kleines Land als grosser Erfolg angesehen werden muss.

Die starke Entwicklung schlägt sich auch in den bezahlten Ablösesummen für die belgischen Fussballspieler nieder. Viele Nationalspieler Belgiens spielen mittlerweile in den grossen europäischen Ligen und gehören dabei entweder zu den Topspielern oder zumindest zu den grossen Zukunftshoffnungen. Die fünfzehn Toptransfers im Zeitraum von Juni 2012 bis August 2014 hatten einen Wahnsinnswert von 282 Mio. Euro. Für die beiden teuersten Spieler wurden je 40 Mio. Euro bezahlt. Diese Transfers betrafen Eden Hazard, welcher von OSC Lille zu Chelsea London wechselte und Axel Witsel, der von Benfica Lissabon zum russischen Spitzenverein Zenit St. Petersburg ging. Bemerkenswert ist sicherlich auch der Klubwechsel von Romelu Lukaku von Chelsea London zu Everton für 35 Mio. Euro. Aber auch die 32,5 Mio. Euro, welche Manchester United für Marouane Fellaini an Everton überwiesen hat, sind immer noch sehr beachtlich.

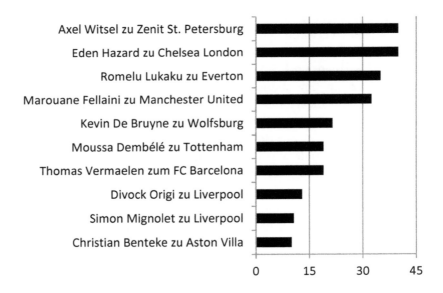

Auffallend bei diesen fünfzehn teuersten Transfers ist jedoch, dass lediglich ein Spieler von einem Verein aus der belgischen Jupiler Pro League gewechselt hat. Christian Benteke wechselte von KRC Genk zu Aston Villa. Alle anderen waren bereits bei anderen europäischen Vereinen unter Vertrag und machten nach diesem Zwischenstopp den grossen Sprung zu grossen Teams. Viele junge Belgier wechseln bereits in jungen Jahren über die Grenze nach Frankreich oder Holland. Bestes Beispiel dabei ist der Transfer von Divock Origi im Sommer 2014, der von OSC Lille für 13 Mio. Euro zum FC Liverpool wechselte.[105] Bereits im Juniorenalter wechselte er von der Nachwuchsabteilung von KRC Genk in jene von OSC Lille. Die Spieler profitieren dabei von der professionellen Ausbildung in grösseren ausländischen Klubs. Gerade die beiden Länder Frankreich und Belgien sind bekannt für die gute Nachwuchsarbeit und Betreuung von Junioren. Leidtragend sind dabei die belgischen Vereine, welchen damit grosse Summen an Transfererlösen entgehen. Oftmals erhalten sie nicht mehr als ein paar Tausend Euro an Ausbildungsentschädigung.

Dies zu verhindern ist sehr schwierig. Vereine aus grösseren Ligen bieten ein mehrfaches an Geld, als dies die belgischen Vereine können. Dennoch wird mittlerweile sehr viel gemacht im Bereich Nachwuchsförderung, um die jungen Talente möglichst lange im Land zu halten. Dass sich der belgische Fussball weiterentwickelt und zu einer guten Adresse gemausert hat, ist zu grossen Teilen Michel Sablon zu verdanken, dem technischen Direktor des belgischen Fussballverbandes. Nach den enttäuschenden Ergebnissen an den WM und EM Turnieren um die Jahrtausendwende wurde ein Umbruch eingeleitet. Mit einem Teil des Gewinns aus der Durchführung der EM 2000 in Belgien und Holland, revolutionierte Sablon die Nachwuchsförderung im Land. Es wurden insgesamt acht Nachwuchsleistungszentren aufgebaut, welche die Vereinbarkeit zwischen Sport und Schule in Einklang brachten. Alle belgischen Nachwuchsteams begannen in einem einheitlichen System zu spielen, dem 4-3-3. Dies sollte die technischen Fähigkeiten der Spieler verbessern. Zudem wurde

---

[105] (HLN.be, Glenn Bogaert, 15 Duivelse transfers goed voor 282 (!) miljoen euro, 2014)

die Orientierung an Resultaten in den Hintergrund gestellt und zum obersten Ziel die Entwicklung der Spieler gemacht. Die Überzeugungsarbeit bei den Vereinen kostete Michel Sablon einige Zeit, doch mittlerweile ziehen alle Vereine mit.[106] Die Jupiler Pro League ist nun eine sehr interessante Ausbildungsliga, die in den nächsten Jahren wohl noch mehr talentierte Spieler rausbringen wird. Für die Vereine wird es wichtig sein, die jungen Spieler möglichst lange zu halten, um höhere Einkünfte für Auslandtransfers zu generieren. Nur mit diesen Einnahmen kann die Liga sich auch in Zukunft weiterentwickeln und die nötigen Investitionen vornehmen. Und nur so können die Vereine in den europäischen Wettbewerben wie der UEFA Champions League oder der UEFA Europa League mit den besten Teams Europas mithalten.

Bereits einen grossen Schritt vorwärts gemacht hat Belgien im Bereich der Fernsehübertragungsrechte. MP & Silva, eine internationale Agentur für Medienrechte, hat die Übertragungsrechte an der Jupiler Pro League für sechs Jahre ab der Saison 2014/15 erworben. Dabei werden für die ersten drei Vertragsjahre 70 Mio. Euro pro Saison und für die folgenden drei Saisons 80 Mio. Euro bezahlt.[107] Im Vergleich zu ähnlich grossen Ländern und Ligen steht Belgien damit gut da. Die österreichische Bundesliga zum Beispiel erhält pro Spielzeit lediglich 20 Mio. Euro an Fernsehgeldern.[108] Zusätzliche Einnahmen generiert die belgische Profiliga mit der Vergabe des Namenrechts an der Liga. Die Biermarke Jupiler sponsert bereits seit über 20 Jahren die Jupiler Pro League und bezahlt dafür mittlerweile etwa 3,5 Mio. Euro pro Saison.[109]

---

[106] (The Guardian, James Stuart, Belgium's blueprint that gave birth to a golden generation, 2014)
[107] (sportcal.com, Martin Ross, Belgiums Pro League: Our joint rights tender with MP & Silva is not behind schedule, 2014)
[108] (derStandard.at, Bundesliga bleibt im ORF und auf Sky, 2012)
[109] (LaLibre.be, Jupiler va payer 9,75 millions à la Pro League, 2011)

Der Grundstein für eine goldene Zukunft ist also gelegt. Sollte es gelingen, den eingeschlagenen Weg weiterzuführen, kann es durchaus sein, dass Belgiens Nationalmannschaft auch an den nächsten Turnieren eine bedeutende Rolle spielen wird. Und eventuell kann sogar an die Erfolge der 70er und 80er Jahre angeknüpft werden. An der Heim EM 1972 wurde Belgien Dritter, an der WM 1986 in Mexiko Vierter und an der EM 1980 in Italien sogar Zweiter, nachdem man sich erst im Finale gegen Deutschland geschlagen geben musste. Die Topspieler zu dieser Zeit hiessen Jean-Marie Pfaff oder Jan Ceulemans. Ihre Nachfolger stehen mit Eden Hazard, Romelu Lukaku oder Thibaut Courtois bereit. Ein grosser Vorteil wird zudem sein, dass das Team von Nationaltrainer Marc Wilmots sehr jung ist und noch viele Jahre zusammenspielen kann.

Die Entwicklung der Schweizer Liga auf dünnem Eis

Die Schweizer Super League spielt im europäischen Vergleich in allen Belangen eine unterklassige Rolle. Dennoch hat die Liga in den letzten Jahrzehnten eine unglaublich starke Entwicklung hinter sich und wird mittlerweile als eine der besten Ausbildungsligen in Europa angesehen. In den 1990er Jahren und um die Jahrtausendwende spielten zwölf Klubs in der damaligen Nationalliga A. Auf europäischer Ebene konnten so gut wie keine Erfolge eingefahren werden. Die Ausnahme bildete der Grasshopper Club Zürich mit zwei Teilnahmen an der UEFA Champions League. Dies änderte sich mit der Reduktion auf zehn Teams und dem damit verbundenen und lange Zeit verspotteten neuen Namen Super League auf die Saison 2003/04. Die Qualität der Spiele stieg an, die Zuschauerzahlen erreichten jedes Jahr neue Rekordwerte und die internationalen Erfolge sind mittlerweile für ein kleines Land wie die Schweiz doch beachtlich. Neben dem FC Basel, der sich mittlerweile regelmässig für die UEFA Champions League qualifizieren kann, erreichten nach der Ligareduktion auch der FC Thun und der FC Zürich die Königsklasse des europäischen Fussballs. Zudem qualifizierte sich der FC Basel in dieser Zeit in der UEFA Europa League zweimal für das Viertelfinale und einmal sogar für den Halbfinal. Diese Erfolge führten zu höheren Einnahmen bei den Vereinen und einer höheren Qualität in fast allen Vereinen.

Die Namensänderung von Nationalliga A zu Super League, aber auch diejenige der Nationalliga B in Challenge League eröffneten der Swiss Football League neue Einnahmequellen. So wurde erstmals für die beiden höchsten Schweizer Ligen ein Namenssponsoring vergeben. Der Energiekonzern Axpo engagierte sich über Jahre hinweg im Schweizer Fussball und erlangte durch den Namen Axpo Super League im ganzen Land einen enorm gesteigerten Bekanntheitsgrad. Die Axpo überwies für das Namenssponsoring jährlich über zwei Millionen Franken. Dieser Betrag konnte nach dem Einstieg von Raiffeisen sogar noch deutlich gesteigert werden. Auf die Saison 2012/13 hin wurde die Bankgenossenschaft der neue Namenssponsor der Super League. Die neue Raiffeisen Super League konnte damit die Einnahmen aus dem Ligasponsoring verdoppeln und streicht seither vier bis fünf Millionen Franken pro Saison ein.[110] Dieser Sponsorendeal wurde gleichzeitig mit dem Verkauf der Fernsehübertragungsrechte abgeschlossen. Ebenfalls seit der Spielzeit 2012/13 erhält die Swiss Football League markant mehr Geld für die Livespiele im Fernsehen. Die Firma Cinetrade bezahlt für fünf Jahre 186 Millionen Franken und somit über 37 Millionen Franken pro Saison. Gegenüber den zuvor erhaltenen 10 Millionen Franken stellte dieser Vertrag einen Quantensprung dar.[111] Und dennoch ist es im europäischen Vergleich noch immer ein eher tiefer Betrag, was aber auch mit der geringen Konkurrenz unter den Fernsehanstalten zu tun hat. Wirklich ernsthafte Abnehmer der Übertragungsrechte sind lediglich das staatliche SRF und die Cinetrade mit dem Pay-TV-Sender Teleclub. Einen Schritt in Richtung internationale Vermarktung gelang der Liga Ende des Jahres 2013, als man mit dem amerikanischen Sportsender GOL TV einen Dreijahresvertrag unterzeichnen konnte. Damit wird pro Runde ein Spiel live in Nord- und Südamerika übertragen. Zusätzlich ist die Raiffeisen Super League in einigen europäischen Ländern wie Portugal, Griechenland oder dem Balkan zu sehen.[112]

Neben den erhöhten Einnahmen aus den Fernsehgeldern generieren die Vereine aus der Schweizer Raiffeisen Super League jedes Jahr beachtliche Summen an Transfererlöse. Diese sind für die Vereine überlebensnotwendig, da ansonsten ein Fussballverein in der Schweiz nur schwer finanzierbar ist. Spitzenreiter bei den Toptransfers ist, bedingt durch die sportlichen Erfolge, der

---

[110] (Bilanz.ch, Ueli Kneubühler, Raiffeisen zahlt mehr als Axpo, 2012)
[111] (20min.ch, Klaus Zaugg, SF lässt Fussballrechte sausen, 2011)
[112] (SFL.ch, Schweizer Fusball "goes west", 2013)

FC Basel. Aber auch die anderen Vereine konnten in den letzten Jahren einige Millionen für die erfolgreiche Ausbildung der eigenen Spieler einnehmen. Die 10 teuersten Transfers seit Einführung der Super League haben einen Gesamtwert von über 90 Mio. Euro.[113]

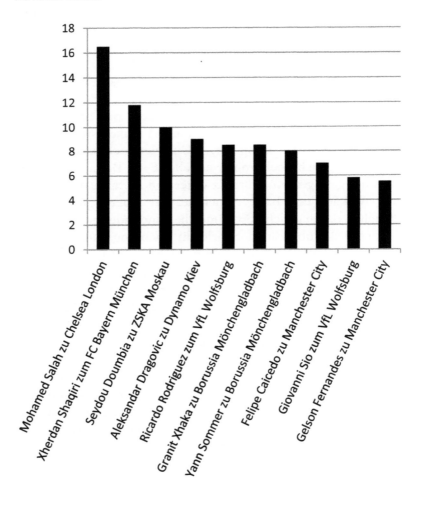

[113] (Transfermarkt.ch, Transfereinnahmen und -ausgaben, 2014)

Aber auch Transfers von ehemals in der Schweiz beschäftigten und ausgebildeten Spielern können sich sehen lassen. So wechselte der Kroate Ivan Rakitic, in der Jugend vom FC Basel ausgebildet, im Sommer 2014 vom FC Sevilla für 18 Mio. Euro zum FC Barcelona. Für die gleiche Summe wechselte der Captain der Schweizer Nationalmannschaft, Gökhan Inler, in der Saison 2011/12 von Udinese Calcio zu SSC Napoli. Und auch der Transfer von Stephan Lichtsteiner von Lazio Rom zu Juventus Turin in der Saison 2011/12 lag mit 10 Mio. Euro noch im zweistelligen Millionenbereich.[114] Aber auch die Anzahl von Schweizer Fussballern oder ehemaligen Spielern der Super League in der deutschen Bundesliga lassen die Entwicklung des Schweizer Fussballs in einem positiven Licht erscheinen. Zu Beginn der Saison 2014/15 standen 18 Schweizer Fussballer bei den Vereinen der 1. Bundesliga unter Vertrag. Die Schweiz stellt somit die meisten ausländischen Spieler der höchsten deutschen Spielklasse. Zudem sind 5 Ausländer mit Vergangenheit in der Super League in der 1. Bundesliga tätig.

Noch sehr weit im Hintertreffen sind die Klubs aus der Schweiz im Bereich Sponsoring. Die Einnahmen aus dem Trikotsponsoring sind im internationalen Vergleich eher Brosamen. Die einzige Ausnahme bildet auch hier der FC Basel, welcher von seinem Hauptsponsor Novartis immerhin geschätzte drei Millionen Franken pro Spielzeit erhält. Jedoch ist bereits der zweithöchste Deal weit weniger Wert. Der japanische Autohersteller Honda sponsert den BSC Young Boys mit jährlich etwa einer Million Franken.[115] Bei allen anderen Vereinen dürfte die Summe bei unter einer Million Franken liegen, bei den meisten Klubs wohl deutlich. Teilweise ist die Sponsorensuche gar so schwierig, dass sich zwei Firmen das Trikotsponsoring teilen. Dann wird mit

---

[114] (www.transfermarkt.ch, 2014)
[115] (NZZ.ch, YB mit neuem Haupsponsor - Zweitbester Deal in der Super League, 2013)

Trikots des einen Sponsors in der ersten Halbzeit gespielt und in der Pause werden die Trikots gewechselt, dass dann in der zweiten Hälfte der zweite Sponsor präsentiert werden kann. Oder man wechselt die Sponsoren entsprechend in den Heim- oder Auswärtsspielen aus. Beim Grasshopper Club Zürich mussten sogar Mitglieder aus Gönnervereinigungen mit ihren Firmen einspringen, da man ansonsten keine passablen Trikotsponsoren gefunden hätte.

Positiv entwickelt haben sich die Zuschauerzahlen der Raiffeisen Super League. Die Gesamtzahl an Zuschauern pro Saison beträgt seit einigen Jahren um die zwei Millionen. Somit werden die Spiele von durchschnittlich über 11'000 Zuschauern in den Stadien verfolgt. In der Saison 2005/06 lag dieser Wert bei noch knapp 8'000 Zuschauern.[116] Und auch im Vergleich mit der ähnlich strukturierten österreichischen Bundesliga schneidet die Raiffeisen Super League sehr gut ab. In Österreichs Spitzenliga besuchten in der Saison 2013/14 ein bisschen mehr als 1,1 Millionen Zuschauer die Spiele der zehn Teams, ein Schnitt von lediglich knapp über 6'000 Fans pro Spiel.[117] In der Schweiz hat sicherlich die stark modernisierte Infrastruktur der Stadien dazu geführt, dass die Spiele vermehrt besucht werden. Durch die modernen Arenen in Basel, Bern, St. Gallen oder Luzern findet man nicht nur die eingefleischten Fans in den Stadien, sondern auch vermehrt Gelegenheitszuschauer. Die Erfolge der Schweizer Nationalmannschaft in den letzten Jahren hat die Entwicklung positiv beeinflusst. Die regelmässigen Teilnahmen an Europa- und Weltmeisterschaften hat das Interesse am Fussball im ganzen Land gesteigert, wovon auch die Liga profitieren konnte.

Die Entwicklung der letzten Jahre erlaubt es den zehn Vereinen der Raiffeisen Super League kontinuierlich zu wachsen, die Bud-

---

[116] (SFL.ch, Raiffeisen Super League, Statistik & Archiv)
[117] (Bundesliga.at, Archiv, Zuschauerstatistiken)

gets zu erhöhen, mehr Geld für Spieler auszugeben und damit auch die Qualität der Mannschaftskader zu verbessern. Der Branchenleader FC Basel operiert mittlerweile mit einem Budget von etwa 35 Mio. Franken, was mit dem unteren Mittelfeld der deutschen Bundesliga vergleichbar ist. Der BSC Young Boys ist mit einem Etat von ungefähr 30 Mio. Franken ähnlich gut positioniert, wenn auch nur finanziell. An sportlichen Erfolgen gemessen liegen die Berner meilenweit hintern den Baslern. Die Jahresbudgets der Mittelfeldteams befinden sich im Bereich um die 20 Mio. Franken, diejenigen der kleinsten Teams jedoch weit abgeschlagen bei unter 10 Mio. Franken.[118]

Diese Budgets sehen zum grössten Teil auf den ersten Blick sehr gut aus und wurden in den letzten Jahren stets erhöht. Dennoch bewegen sich die meisten Vereine auf eher dünnem Eis und sind auf private Gönner und Investoren angewiesen. Ein Abspringen eines solchen Investors ist nicht selten mit ernsthaften finanziellen Sorgen oder mit Zwangsrelegierungen verbunden. So stiegen beispielsweise der FC Sion, der FC Lausanne-Sport, der FC Lugano, der FC Servette Genf oder zuletzt Neuchâtel Xamax aufgrund von Überschuldung oder Konkurs ab. In allen Fällen waren zwielichtige Investoren aus dem Ausland beteiligt, welche Millionen von Franken ausgaben, die entweder aus veruntreuten Geldern stammten oder aber gar nicht existierten. Im aktuellsten Fall bedeutete die Übernahme des Tschetschenen Bulat Tschagajew den Tod von Neuchâtel Xamax. Es wurden teure ausländische Spieler verpflichtet, die nach kurzer Zeit keine Lohnzahlungen mehr erhalten hatten und immer wieder mit neuen Ausreden vertröstet wurden. Nach zu Beginn verhängten Punktabzügen wurde im Januar 2012 durch die Swiss Football League die Lizenz entzogen. Der hinterlassene Schuldenberg lag bei 35 Mio. Franken, der Konkurs blieb unausweichlich.[119] Bulat

---

[118] (Blick.ch, Michael Wegmann, Thun ist heimlicher Meister, 2013)
[119] (NZZ.ch, Xamax-Schulden betragen 35 Millionen, 2012)

Tschagajew wurde in Untersuchungshaft genommen und später aus der Schweiz ausgewiesen. Beinahe hätte es kurz nach dem Tod von Neuchâtel Xamax auch den FC Servette Genf erwischt. Nachdem bereits im Jahr 2005 die Bilanz deponiert wurde und ein Neustart erfolgreich mit dem Wiederaufstieg in die Super League endete, hätte ein ausländischer Investor den Klub im Jahr 2012 fast erneut in den Ruin getrieben. Der Iraner Majid Pishyar konnte die aufgelaufenen Verbindlichkeiten nicht mehr begleichen, die Rettung unter Führung des Präsidenten des gleichnamigen Eishockeyvereins gelang in letzter Sekunde. Sportlich schaffte der Verein die Kurve nicht mehr und stieg Ende Saison 2012/13 in die Challenge League ab.

Grundsätzlich ist die Entwicklung des Schweizer Fussballs in den letzten Jahren positiv zu werten. Auch wenn viele Vereine von Finanzsorgen geplagt sind, hat sich die Qualität der Spiele verbessert und die Clubs haben professionelle Strukturen aufgebaut. Die Unterschiede zu den grossen Ligen wurden verringert und der Schweizer Fussball wird international mittlerweile ernst genommen. Ein Zeichen für die Attraktivität der Liga ist sicherlich, dass vermehrt auch internationale Namen den Weg in die Raiffeisen Super League finden. Beste Beispiele sind die Trainer Thorsten Fink, Paolo Sousa oder Markus Babbel, welche allesamt grosse Erfahrung aus der deutschen Bundesliga mitbrachten. Letztendlich wird die Raiffeisen Super League immer eine Ausbildungsliga bleiben und vielen Spielern als Sprungbrett in eine höhere Liga im Ausland dienen. Viele Klubs haben bereits erkannt, dass es sich lohnt, eigene Junioren zu fördern und diese in die erste Mannschaft einzubauen. Nur über die Förderung von Eigengewächsen und deren Verkäufen ins Ausland können die nötigen Einnahmen generiert werden, um den Verein langfristig über Wasser zu halten. Diese Entwicklung kommt schlussendlich auch der Nationalmannschaft zu Gute, welche vermehrt auf international erfahrene Spieler zurückgreifen kann.

Red Bull und der Reiz vom Fussballbusiness

Red Bull ist vor allem für seinen gleichnamigen und flügelverleihenden Energydrink bekannt. Das Getränk, welches Dietrich Mateschitz in Thailand entdeckt und nach Europa gebracht hatte. Dietrich Mateschitz teilt sich den Besitz an Red Bull mit der thailändischen Erfinderfamilie, welche 51% der Anteile besitzt. Das in Fuschl am See in der Nähe von Salzburg ansässige Unternehmen expandiert Jahr für Jahr und erzielt Rekordumsatz um Rekordumsatz. Im Jahr 2013 wurden bereits 5,3 Milliarden Dosen verkauft, bei einem Umsatz von etwa einem Euro pro Dose.[120] Hergestellt wird der Energydrink in Österreich und der Schweiz.

Mittlerweile ist Red Bull nicht mehr nur ein Getränkekonzern, sondern auch eine Art Sportunternehmen. Angefangen hat es mit Engagements in Extrem- und Trendsportarten, bei welchem vor allem das jüngere und trendbewusste Zielpublikum angesprochen werden sollte. Zudem werden eigene Events durchgeführt wie beispielsweise die Red Bull Air Race Series. Vor allem aber unterstützt Red Bull mittlerweile weltweit über 400 Einzelsportler aus der ganzen Palette des Sportbereichs. Dazu gehören unter anderem der Fussballer Neymar, die Skifahrer Marcel Hirscher oder Lindsey Vonn, Freeskier Elias Ambühl, Moto GP Fahrer Marc Márquez oder der Base Jumper Felix Baumgartner. Zu den von Red Bull unterstützten Athleten gehören aber auch Beach Volleyballer, Kiteboarder, Cliffdiver, Surfer, Segler, Skateboarder oder Snowboarder.[121] In der Formel 1 besitzt Red Bull mit Red Bull Racing und Toro Rosso gleich zwei eigene Teams. Mit Red Bull Racing und dem Fahrer Sebastian Vettel wurde die Formel 1 jahrelang dominiert und Sieg um Sieg eingefahren. Mit dem EC Red Bull Salzburg und dem EHC Red Bull München hat man

---

[120] (Manager Magazin, Der will doch nur spielen, 2014)
[121] (www.redbull.com)

sich auch im Eishockeysport etabliert. Und zu guter Letzt hat Red Bull auch den Fussball für sich entdeckt.

Der Einstieg in den Fussballsport vollbrachte Red Bull in der Heimat, in Salzburg. Im Jahr 2005 übernahm Red Bull den finanziell angeschlagenen Verein Austria Salzburg. Was für die Fans der Salzburger zunächst als Rettung des Klubs erschien, entpuppte sich je länger je mehr zu einem Schrecken. Der Gedanke daran, dass ein aus der Region stammender Grosskonzern den Verein von den finanziellen Schwierigkeiten befreit und in eine sorgenfreie Zukunft trägt, ist verlockend und auf den ersten Blick eine tolle Lösung. Dass aber sowohl der Vereinsname, der Stadionname und die Vereinsfarben komplett neu vergeben werden, ist für jeden echten Fan eine Demütigung. Die Violetten sollten also in Zukunft Red Bull Salzburg heissen, in der Red Bull Arena spielen und in weissen Trikots mit dem Bullenlogo darauf und in roten Hosen auflaufen. Beim ersten Heimspiel wurde dann das Spiel sogar vom Stadionsprecher live kommentiert, bis dies vom Schiedsrichter unterbunden wurde. Für einige Fans war dies alles zu viel des Guten. Sie wendeten sich vom Verein ab und gründeten den SV Austria Salzburg neu. Gestartet in der siebthöchsten Liga wäre man auf die Saison 2014/15 beinahe bereits in die zweithöchste Liga aufgestiegen.[122] Red Bull und Dietrich Mateschitz gingen den Weg unbeirrt weiter. Bei der Übernahme sollen bis zu 35 Mio. Euro in den Klub investiert worden sein. Unter anderem wurden topmoderne VIP-Boxen erstellt, Stadionsitze in den Farben von Red Bull montiert oder ein neuer Rasen verlegt. Natürlich wurde auch in die Mannschaft investiert, schliesslich hat man sich die regelmässige Teilnahme an der UEFA Champions League zum Ziel gesetzt. So wurde beispielsweise Vratislav Lokvenc aus der deutschen Bundesliga verpflichtet, mit einem Gehalt von etwa zwei Millionen Euro jährlich. Und auch die ehemaligen Spieler vom FC Bayern München, Alexander Zickler

---

[122] (tagesspiegel.de, Jan Mohnhaupt, Protest verleiht Flügel, 2014)

und Thomas Linke, dürften ein stattlicher Salär kassiert haben, um nach Salzburg zu wechseln.[123] Die Erfolge in der österreichischen Bundesliga stellten sich damit relativ schnell ein und mittlerweile startet man jede Saison als Favorit auf den Meistertitel. International konnte man jedoch noch keine Stricke zerreissen. Die UEFA Champions League verpasste man Mal um Mal. Auch gegen schlagbare Gegner wie Maccabi Haifa oder Hapoel Tel Aviv reichte es nicht für die Königsklasse. Eine bittere Blamage erlebte Red Bull Salzburg im Jahr 2012, als man gegen das luxemburgische Team von Düdelingen scheiterte. Seit der Übernahme von Red Bull scheiterte man bereits sieben Mal in der Qualifikation, zuletzt in der Saison 2014/15 nach einem 2:1 Sieg im Heimspiel gegen den schwedischen Meister Malmö FF. Das Rückspiel in Schweden verlor man eine Woche darauf mit 0:3. Eine sehr schwache Ausbeute, wenn man bedenkt, dass jede Saison mehrere Millionen in den Verein gepumpt werden. In der Saison 2012/13 beispielsweise betrug das Budget der Bullen über 60 Mio. Euro.[124] Und da die Einnahmen des Vereins bei einem Zuschauerschnitt von ungefähr 10'000 Besuchern wohl eher bescheiden ausfallen, dürfte der grösste Teil des Budgets von Red Bull bereitgestellt werden.

Da man bei Red Bull erkannt hat, dass in Salzburg ein Vorpreschen in die europäische Elite kaum möglich sein wird, hat man sich anderweitig umgeschaut. Man ist in Deutschland fündig geworden, genauer gesagt in Leipzig. Das Vorgehen war grundsätzlich dasselbe wie in Salzburg. Es wurde ein Verein übernommen, der Vereinsname, das Logo und die Klubfarben abgeändert und los ging es. Der Unterschied zu Salzburg lag lediglich darin, dass der Start nicht in der obersten Spielklasse erfolgte, sondern in der fünften. Der Deutsche Fussball Bund wollte einem Unternehmen

---

[123] (Format.at, Wenn am Dienstag die Bundesliga startet, beginnt ein besonderes Duell der Milliardäre, 2005)
[124] (WirtschaftsBlatt.at, Johann Skocek, Red Bull Salzburg verspielt 60 Millionen €, 2014)

nicht die grosse Einflussnahme zusprechen, einen ganzen Verein zu übernehmen und diesen zu kontrollieren. Deshalb übernahm Red Bull den SSV Markranstädt, da das Lizenzierungsverfahren durch den Deutschen Fussball Bund nur bis zur vierten Liga angewendet wird. Und offiziell steht RB Leipzig für RasenBallsport Leipzig, da Sponsoren im Vereinsnamen im deutschen Fussball nicht erlaubt sind.[125] Sportlich verläuft die Entwicklung für RB Leipzig sehr erfolgreich. Zur Saison 2014/15 steht man nach dem dritten Aufstieg innerhalb von fünf Saison bereits in der 2. Bundesliga. Aber mittlerweile wird der Umgang mit den Bullen rauer und gehässiger. Viele Manager aus der Bundesliga fürchten, dass RB Leipzig kleinere und wirtschaftlich schwächere Vereine überholen könnte, da diese nicht über einen solchen grosszügigen Sponsor verfügen. Sie sehen die Chancengleichheit in Gefahr und wehren sich mit allen Mitteln. So wurde beispielsweise in erster Instanz die Lizenz für die 2. Bundesliga durch die Deutsche Fussball Liga verweigert oder musste RB Leipzig in der Vorbereitung auf die Saison 2014/15 gegen ausländische Teams testen, da kein deutscher Verein für ein Freundschaftsspiel zu haben war.[126] Red Bull lässt dies alles kalt und konzentriert sich auf die eigenen Aufgaben und Ziele. Schliesslich will man in naher Zukunft ein ernsthafter Konkurrent des FC Bayern München werden. Und in Leipzig ist man sich sicher, dass früher oder später auch die Meisterschale in die Höhe gestemmt werden kann. Schliesslich hat man bis im Sommer 2014 schon schätzungsweise 80 bis 100 Mio. Euro in das Projekt in Ostdeutschland gesteckt. Unter anderem investierte Red Bull um die 40 Mio. Euro in ein Trainings- und Leistungszentrum.[127]

Aber auch abseits des europäischen Fussballs sind die Bullen heimisch geworden. Bereits im Frühjahr 2006 kaufte Red Bull die New York Metro Stars von der Anschutz Entertainment Group.

---

[125] (NZZ.ch, Ronny Blaschke, RB wie Rasenball - und wie Red Bull, 2009)
[126] (FAZ.net, Peter Hess, Fussball aus der Dose, 2014)
[127] (Kurier.at, Stephan Blumenschein, Die Probleme von RB Leipzig, 2014)

Red Bull bezahlte damals für den Verein mehr als 100 Mio. Dollar. In diesem Preis inklusive waren die Hälfte des in Bau befindenden Stadions und die Rechte am Stadionnamen.[128] Die also neu benannte Red Bull Arena ging dann ein Jahr später komplett in den Besitz von Red Bull, nachdem der fehlende Anteil von 50% von der Anschutz Entertainment Group ebenfalls erworben wurde. Nicht übereinstimmende Ideen zur Realisierung des Stadions führten zu diesem Schritt. Red Bull modifizierte in der Folge die Baupläne und erstellte die in Harrison, New Jersey, stehende Arena für 25'000 Zuschauer in Eigenregie. Dabei wurde Wert darauf gelegt, dass ein reines Fussballstadion im europäischen Stil entsteht. Die Gesamtkosten für die im Jahr 2010 eröffnete Red Bull Arena beliefen sich schliesslich auf geschätzte 150 Mio. Dollar.[129] Die Spielersaläre sind dafür sehr unterschiedlich verteilt und liegen im Vergleich zu europäischen Spitzenteams grösstenteils sehr tief. Lediglich für die beiden Starspieler, den Franzosen Thierry Henry und den Australier Tim Cahill, wird ein bisschen tiefer in die Tasche gegriffen. Mit 3,75 Mio. beziehungsweise 3,5 Mio. Dollar sind diese beiden Spieler die einzigen mit Millionengehälter. Die restlichen Spieler verdienen um die 300'000 Dollar oder weniger.[130] Dies dürfte sich allerdings in den nächsten Jahren durchaus ändern. Die Konkurrenz wird in Zukunft durch den generellen Aufschwung des Fussballs in den USA stark zunehmen, nicht zuletzt auch durch die Neugründung eines zweiten Fussballklubs in New York. Der New York City Football Club konnte mit den Verpflichtungen des Spaniers David Villa von Atlético Madrid und des Engländers David Lampard von Chelsea London für Aufsehen sorgen. Und da der Verein von den Eigentümern von Manchester City und den New

---

[128] (NYTimes.com, Jack Bell, Red Bull Is New Owner, and Name, of MetroStars, 2006)
[129] (NYTimes.com, Jack Bell, With Red Bull Arena, Building for Future and for Fans, 2009)
[130] (Sportrac.com, New York Red Bulls Contracts, 2014 Salary)

York Yankees gegründet wurde, dürften auch die finanziellen Mittel vorhanden sein.

Als vierter Verein gehört Red Bull Brasil aus São Paolo zum Fussballportfolio des Getränkeherstellers. Wird in Salzburg, Leipzig und New York vor allem der sportliche Erfolg angestrebt, so liegen die Ziele in Brasilien vor allem in der Ausbildung von jungen Fussballern. Diese sollen in der Akademie gefördert werden, um später in eine europäische Filiale transferiert zu werden.

Eine weitere solche Akademie hatte Red Bull in Ghana. Zwischen 60 und 70 Spieler hatten da die Möglichkeit, den Traum von Europa wahr werden zu lassen. Jedoch schaffte es lediglich einer, von Red Bull nach Salzburg geholt zu werden, und dies nur für die zweite Mannschaft. Die Red Bull Soccer Academy West Africa wurde dann auch im Jahr 2013 geschlossen. Einerseits war man weit weg von einer grossen Stadt und andererseits hatte man mit einer grossen Fluktuation zu kämpfen. Der Konkurrenzkampf unter der Akademien in Ghana, aber auch unter den jungen Talenten, ist riesig. Im Westafrikanischen Staat gibt es hunderte von Akademien, sowohl seriöse von einigen europäischen Fussballklubs, aber auch deren unseriöse.[131]

Auch in Österreich werden junge Talente gefördert und für höhere Aufgaben in Salzburg und Leipzig vorbereitet. Dies geschieht aber nicht bei der zweiten Mannschaft von Red Bull Salzburg, sondern beim FC Liefering, dem Kooperationsteam der Bullen. Seit 2010 dürfen keine Amateurteams in den beiden höchsten österreichischen Spielklassen mitspielen. Für die Entwicklung der jungen Spieler ist es jedoch bedeutend förderlicher, zumindest in der zweithöchsten Liga Erfahrungen zu sammeln. Red Bull Salzburg hat deshalb den FC Liefering übernommen, auch wenn dieser offiziell eigenständig ist. Damit kann die Regelung mit den

---

[131] (Suedwind-Magazin.at, Martin Kainz, Alles für Europa, 2014)

Amateurteams umgangen werden und Kooperationsspieler können beliebig ausgetauscht werden. Kooperationsspieler sind unter 22 Jahre alt und dürfen pro Runde entweder beim Team der höchsten oder dann beim Team der zweithöchsten Spielklasse eingesetzt werden.[132] Um diesen Talenten die bestmöglichen Bedingungen bieten zu können, hat Red Bull in Liefering ein Ausbildungszentrum erstellt, welches im September 2014 eröffnet wurde. Mit einer Grösse von 100'000 Quadratmetern ist die Nachwuchsakademie von Red Bull die grösste in Europa. Insgesamt stehen sieben Fussballfelder zur Verfügung, sechs Aussenplätze und eine Halle. Zudem wurde für die Eishockeyabteilung eine Halle mit zwei Eisfeldern erstellt. Dabei wurde bei allen Spielfeldern ein Trackingsystem installiert, welches die Spielzüge und Bewegungsabläufe dokumentiert. Auch um die schulische Ausbildung kümmert sich Red Bull. Die Jugendlichen, welche im Internat leben, werden jeweils mit Bussen zu einer von fünf Kooperationsschulen gefahren.[133] Zu den Kosten für die topmoderne Jugendakademie hat sich Red Bull nicht geäussert. Es wird jedoch von Ausgaben im Bereich von 35 bis 45 Mio. Euro ausgegangen. Dabei bezahlte Red Bull die kompletten Baukosten aus der eigenen Tasche und erhielt keine Fördergelder der öffentlichen Hand.[134] Auch in Leipzig wird ein neues Trainingszentrum erstellt. Dieses soll jedoch allen Teams, also auch der Profimannschaft, zur Verfügung stehen. Auf 13'500 Quadratmetern entstehen für ungefähr 35 Mio. Euro Trainingsplätze, eine Turnhalle, Krafträume oder medizinische Einrichtungen. Aber auch ein Jugendinternat für 50 Jugendspieler wird gebaut, um den Nachwuchs nachhaltig fördern zu können. Jeder Spieler der ersten Mannschaft erhält zudem einen eigenen Ruheraum, um sich un-

---

[132] (Kurier.at, Stephan Blumenschein, Warum Liefering Salzburgs Amateurteam sein kann, 2014)
[133] (Salzburg.com, Salzburger Nachrichten, Red Bull Akademie für junge Talente fertiggestellt, 2014)
[134] (Kurier.at, Stephan Blumenschein, Salzburg übertrumpft Barcelona, 2013)

gestört erholen zu können.[135] Die Bedingungen in Leipzig sind also ab dem Sommer 2015 erstligatauglich. Es wird sich zeigen, ob die Mannschaft dies ab diesem Zeitpunkt auch bereits ist, oder ob man sich in Leipzig noch ein bisschen gedulden muss.

Um alle Sportler des Red Bull Imperiums optimal zu betreuen, steht den Athleten das Diagnostics & Training Center in Thalgau bei Salzburg zur Verfügung. Dort finden sich nicht nur klassische Einrichtungen wie ein Fitnessstudio oder Ergometer, sondern auch Kameras zur Analyse von Torschüssen. Den Sportlern stehen Sportwissenschaftler, Sportmediziner, Physiotherapeuten und Psychologen zur Seite und es werden Gesundheitschecks und Leistungstests durchgeführt.[136] Ob also die Fussballer aus Salzburg oder Leipzig, die Formel-1 Fahrer oder auch Skirennfahrerin Lindsey Vonn, allen steht eine optimale Infrastruktur zur Verfügung, welche auf den sportlichen Erfolg ausgerichtet ist. Wie viel sich Red Bull diese Betreuung kosten lässt, ist nicht bekannt. Wenn man jedoch alle anderen Investitionen und Ausgaben des Konzerns im Bereich Sport betrachtet, so ist es unschwer zu erahnen, dass auch hier mehrere Millionen Euro reingesteckt werden. Die Sportler danken es mit nationalen Meistertiteln, Weltcupsiegen oder Weltmeistertiteln.

---

[135] (LVZ-Online.de, Matthias Roth, Gehobene Ausstattung: RB Leipzig baut bis 2015 neues Trainigszentrum am Cottaweg, 2013)
[136] (Tagesspiegel.de, Christian Hönicke, Der Vater und seine Champions, 2011)

Die Könige des Weltfussballs aus Madrid

Der erfolgreichste Verein der Welt, die Königlichen, die Galaktischen, oder einfach Real Madrid. Mit dem zehnten Triumph in der UEFA Champions League im Frühling 2014 haben sich die Madrilenen endgültig in den galaktischen Himmel gespielt. Auch in der heimischen Liga hat Real Madrid mit dem 32. Meistertitel in der Saison 2011/12 klar die Nase vorne und ist mit grossem Abstand nationaler Rekordmeister. Bereits im Jahr 1920 erhielt der Verein die Erlaubnis des spanischen Königs, den Namenszusatz Real zu verwenden.[137] Und auch wenn dieser Zusatz von vielen anderen Vereinen ebenfalls benutzt werden darf, wirklich gerecht wird diesem nur Real Madrid. Dazu verholfen haben dem Club aus der spanischen Hauptstadt vielerlei Weltklassespieler und Persönlichkeiten. Da ist beispielsweise der Spieler und langjährige Präsident Santiago Bernabéu, welcher den Bau des Stadions mit seinem Namen bauen liess. Oder Alfredo Di Stéfano, welcher in den 1950er Jahren mit den Königlichen fünfmal in Serie den Europapokal der Landesmeister, die heutige UEFA Champions League, gewann. Seit dieser Zeit ist auch oftmals im Zusammenhang mit Real Madrid vom weissen Ballett die Rede. Weitere bekannte Spieler der Vereinsgeschichte sind der Ungare Ferenc Puskas, der Deutsche Günter Netzer, die Spanier Emilio Butragueño und Fernando Hierro oder auch der Franzose Zinédine Zidane. Weitere Legenden der Neuzeit sind Raúl González und Iker Casillas, welcher seit 1989 im Verein ist und in der Spielzeit 2014/15 bereits seine sechzehnte Saison in der Profimannschaft in Angriff genommen hat. Aktueller Star ist aber unbestritten der Portugiese Cristiano Ronaldo, welcher das Spiel der Königlichen bestimmt und dominiert.

Nicht nur sportlich ist Real Madrid in der Geschichte des Fussballs die grösste Schuhnummer, auch umsatzmässig steht kein

---

[137] (www.realmadrid.com)

anderer Verein vor den Madrilenen. In der Saison 2012/13 erzielte man einen Umsatz von über 518 Mio. Euro, mehr als jeder andere Fussballclub der Welt. Den grössten Teil des Umsatzes macht Real Madrid mit der Vermarktung, also den Einnahmen aus Sponsoring und Merchandising. In der Saison 2012/13 waren dies über 211 Mio. Euro und somit 41% der Gesamteinnahmen. Aber auch die Fernsehübertragungsrechte brachten dem Verein über 188 Mio. Euro. Aufgrund der Wirtschaftslage in Spanien verzeichnete Real Madrid einen Rückgang bei den Einnahmen aus den Ticketverkäufen. Mit 119 Mio. Euro nahm man aber dennoch knapp mehr ein als der Erzrivale FC Barcelona mit etwas über 117 Mio. Euro. Mehr Einnahmen aus den Spielen als Real Madrid erzielt mit Manchester United lediglich ein Verein, welcher mit über 127 Mio. Euro den Spitzenplatz belegt.[138] Diese drei Klubs sind denn auch die drei wertvollsten Fussballvereine der Welt. Der Wert von Real Madrid beläuft sich mittlerweile auf sagenhafte 2,6 Milliarden Euro, gefolgt vom FC Barcelona mit 2,4 Milliarden Euro und Manchester United mit einem Gesamtwert von immerhin noch 2,1 Milliarden Euro.[139]

Dass Real Madrid der grösste Verein im Klubfussball ist, belegen sowohl die sportlichen Erfolge als auch die finanziellen Dimensionen. Dies reicht den Königlichen jedoch, allen voran dem Präsidenten Florentino Pérez, längst nicht. Die Grösse und die Macht des Vereins wird auch jährlich demonstriert und vorgeführt. Es vergeht kaum ein Sommer, welcher ohne ein grosser und vor allem sehr kostspieliger Transfer über die Bühne geht. Und dabei sind teure Spielerverkäufe wie derjenige im Sommer 2014 von Angel Di María eher selten. Vor allem geht es dabei um teure Einkäufe, welche die Spitzenplätze der teuersten Transfers aller Zeiten belegen. Im Sommer 2014 kam der Kolumbianer James Rodriguez als neuste Erwerbung dazu. Der Transfer von

---

[138] (Deloitte, Football Money League, 2014)
[139] (Forbes.com, Mike Ozanian, The World's Most Valuable Soccer Teams, 2014)

AS Monaco zu Real Madrid soll um die 80 Mio. Euro. gekostet haben, nachdem man bereits den Weltmeister Toni Kroos vom FC Bayern München zum Schnäppchenpreis von 30 Mio. Euro verpflichtet hat. Bereits im Jahr zuvor verpflichtete Real Madrid den Waliser Gareth Bale von Tottenham Hotspur und überwies den Londonern 91 Mio. Euro. Sogar noch ein bisschen tiefer in die Hosentaschen griff Florentino Pérez bei der Verpflichtung von Cristiano Ronaldo von Manchester United. Für den damaligen Rekordtransfer wurden unglaubliche 94 Mio. Euro fällig. Ebenfalls in die Amtszeit von Florentino Pérez fallen die Verpflichtungen des Brasilianers Kaká für 65 Mio. Euro oder diejenige des dreimaligen Weltfussballers Zinédine Zidane für 73 Mio. Euro.[140]

Das Geld für diese Transfers ist auch bei Real Madrid nicht immer vorhanden. Aber mit Bankkrediten von spanischen Banken sichern sich die Königlichen das nötige Kleingeld dafür. So hat die Caja Madrid dem Verein aus der gleichen Stadt im Jahr 2009 für den Transfer von Cristiano Ronaldo einen Kredit von 76,5 Mio. Euro gewährt. Auch für den Transfer von Kaká hat man von einer weiteren Bank einen Kredit erhalten.[141] Speziell daran ist, dass dies in der Zeit der Finanz- und Bankenkrise erfolgte, in welcher die Caja Madrid mit anderen Banken fusionierte und folglich verstaatlicht wurde. Im Rahmen dieser Verstaatlichung musste der spanische Staat die daraus entstandene Bankia retten und dafür mehrere Milliarden Euro bereitstellen. In verschiedenen Medien war dann auch der Aufschrei gross, dass eine Bank einem Fussballverein bei Millionentransfers unter die Arme greift und danach selber um Hilfe beim Staat betteln muss. Es ist jedoch auch klar, dass nicht der Kredit an Real Madrid für die schlechte finanzielle Lage der Bank verantwortlich zu machen ist. Der Hauptgrund liegt wie bei vielen anderen Banken an den Im-

---

[140] (Handelsblatt.com, Die 20 teuersten Spieler aller Zeiten, 2014)
[141] (Süddeutsche.de, Javier Cáceres, Ronaldo unterm Rettungsschirm, 2011)

mobilienkrediten, welche hauptverantwortlich für die Finanzkrise gewesen sind. Eher zu berücksichtigen ist der daraus gewonnene Wettbewerbsvorteil, den die Madrilenen gegenüber den europäischen Mitstreitern erlangen. Gerade aus Deutschland, wo die Klubs sehr darauf bedacht sind, dass nur das ausgegeben wird, was man durch die Einnahmen generieren kann, ist die Kritik an solchen Geschäften immer wieder mal sehr laut. Vor allem aus dem Umfeld des FC Bayern München hört man nicht selten giftige Kommentare zu fremdfinanzierten Transfers der Königlichen aus Madrid.

Die Folge dieser exzessiven Transferpolitik und Fremdfinanzierung sind Schulden in Millionenhöhe. Seit Jahren liest man immer wieder mal aus den Tageszeitungen, wie hoch die Schulden von Real Madrid nun wirklich sein sollen. Aber diese Zahlen werden so unterschiedlich ausgewiesen, dass man trotzdem nicht wirklich weiss, wie es um die Finanzen steht. Bei der Präsentation der Umsatzzahlen für die Saison 2013/14 verkündete Florentino Pérez, dass man mit 604 Mio. Euro erneut eine Steigerung von elf Prozent erreicht habe. Aber auch zu den Schulden des Vereins gibt der Präsident Auskunft, wenn auch nicht sehr detailliert. Man habe 71,5 Millionen Euro Nettoschulden, mehr Informationen dazu gibt es nicht.[142] Eine solche Zahl im Vergleich zu den jährlich steigenden Umsätzen ist relativ gering, könnte man meinen. Da Real Madrid jedoch als Verein geführt wird und keine Zahlen veröffentlichen muss, sieht man nicht, wie sich diese Zahlen zusammensetzen. Daher muss man auch eine andere Zahl berücksichtigen. Die spanische Liga bestätigte im Oktober 2013 eine Schuldenlast von 541 Mio. Euro. Dieser Betrag setzt sich zusammen aus 115 Mio. Euro Bankschulden, 127 Mio. Euro Schulden bei anderen Vereinen, 143 Mio. Euro Rückstellungen und Abgrenzungsposten sowie aus 156 Mio. Euro ausstehenden Zah-

---

[142] (Süddeutsche.de, Oliver Meiler, Real Madrid und die Finanzen - Nicht ganz so prächtig, 2014)

lungen von Löhnen und Handgeldern. Aber auch diese Zahlen sagen nicht sehr viel aus. Dafür müsste man wissen, wie gross der Bestand an flüssigen Mitteln ist. Die spanische Liga legte bei der Veröffentlichung der Zahlen daher auch Wert darauf, dass man nicht auf eine schlechte wirtschaftliche Situation von Real Madrid schliessen könne. Der Verein sei in beachtlicher Art und Weise saniert worden und habe in der Saison 2012/13 einen Nettozufluss von liquiden Mitteln in Höhe von 156 Mio. Euro erreicht.[143]

Es scheint, als wäre Bauunternehmer Florentino Pérez einfach ein guter Geschäftsmann und wisse, wie er gewisse Dinge zu seinen Gunsten drehen und darstellen kann. Bereits in seiner ersten Amtszeit bei Real Madrid hat er dies eindrucksvoll bewiesen. Pérez verkaufte das vereinseigene Trainingsgelände für rund 480 Mio. Euro. Dank seinen guten Beziehungen zur Regierung der Stadt Madrid, welche das Gelände zu Bauland deklarierte, konnte er damit einen hohen Gewinn erzielen.[144] Mit diesem Gewinn kaufte Real Madrid Land für ein neues Trainingsgelände ausserhalb der Stadt und baute einen Teil der Schulden ab. Selbstverständlich blieb auch noch ein Teil für teure Transfers übrig. Auf dem verkauften Gelände wurden vier Hochhäuser mit vorwiegend Büros gebaut. Und wie könnte es anders sein, dass am Bau der "Cuatro Torres" auch Florentino Pérez mit seiner Firma ACS beteiligt gewesen ist. Mit diesem Geschäft konnte er somit in zweierlei Hinsicht profitieren. Einerseits hatte Real Madrid viel Geld einnehmen und die Finanzlage verbessern können und andererseits erhielt er privat Aufträge für seine eigene Firma. Daraus wird ersichtlich, dass das Präsidiumsamt beim grössten Fussballverein der Welt nicht nur Anerkennung und Ehre bringt, sondern auch die eigenen Geschäfte ankurbeln kann.

---

[143] (Kurier.at, Günther Pavlovics, Millionenstars für den Schuldenklub, 2014)
[144] (Wirtschaftswoche.de, Stefanie Claudia Müller, Real Madrid und die Geschäfte des Präsidenten, 2009)

In den nächsten Jahren soll dann auch das Stadion Santiago Bernabéu umgebaut und erweitert werden. Es soll nach dem Umbau Platz für 90'000 Zuschauer bieten, mehr VIP-Logen enthalten und ein Dach bekommen, das innerhalb von fünfzehn Minuten geschlossen werden kann. Zudem sollen ein Einkaufszentrum, mehrere Restaurants und sogar ein Luxushotel dazukommen. Aus den Suiten dieses Hotels soll es den Gästen sogar möglich sein, direkt aufs Spielfeld zu schauen. Die Kosten für den Umbau des Stadions sollen bis zu 400 Mio. Euro betragen und die Spielstätte zu einem internationalen Symbol der Fussballwelt werden lassen. Die Aussenhülle aus Titan soll als Leinwand genutzt werden können, so dass beispielsweise Spiele oder andere Veranstaltungen live übertragen werden können.[145] Um den ganzen Umbau zu finanzieren, denkt Florentino Pérez auch erstmals daran, die Namensrechte des Stadions zu vergeben. Die ersten Interessenten sollen Coca-Cola und Microsoft gewesen sein. Es soll sich aber auch das Emirat Abu Dhabi in die Verhandlungen eingeschalten haben und deutlich mehr bieten als die beiden amerikanischen Unternehmen.

Real Madrid ist sicherlich auch einer der innovativsten Vereine der Welt mit immer wieder neuen Ideen. Das neue Trainingsgelände soll nicht nur ein Ort für Spieler und Vereinsverantwortliche sein, sondern auch für die Fans. Unter dem Namen "Real Madrid City" soll dort auch ein Fussball-Freizeitpark entstehen. Ebenfalls angedacht wurden weitere solche Freizeitparks in Miami und Peking. Zudem soll in den arabischen Emiraten auf einer künstlich aufgeschütteten Insel ein Real Madrid Resort entstehen. Was dann wirklich realisiert wird und wann eines dieser Projekte eröffnet, steht in den Sternen. Aber alle diese Projekte haben ein und dasselbe Ziel. Mehr Fans für den Verein zu begeistern,

---

[145] (Handelsblatt.com, Anne Grüttner, Deutsche bauen den Königlichen ein neues Bernabéu, 2014)

den Absatzmarkt zu vergrössern und somit den Umsatz weiter in die Höhe schnellen zu lassen.

Entwicklungshilfe für den indischen Fussball

In Indien ist Cricket die Sportart Nummer eins und begeistert die Massen, wie es in vielen Commonwealth-Ländern so üblich ist. Die Nationalmannschaft gehört zu den erfolgreichsten der Welt und unterstrich dies im Jahr 2011 mit dem Weltmeistertitel. Der Fussball ist noch nicht so weit und entwickelt sich nur langsam. Die Nationalmannschaft liegt im FIFA-Ranking weit hinten und eine Teilnahme an einer Weltmeisterschaft blieb bisher verwehrt. Bisherige Versuche, den Fussball zu fördern und eine kompetitive Liga aufzustellen, scheiterten jedes Mal. Auf den Herbst 2014 wurde ein neuer Versuch gestartet. Die IMG Reliance, ein Joint Venture von IMG und Reliance Industries, haben sich im Jahr 2010 die Rechte an der kommerziellen Vermarktung des Fussballs in Indien gesichert. Dafür wurde die Indian Super League ins Leben gerufen, welche im Oktober 2014 erstmals den Spielbetrieb aufgenommen hat. Dafür wurden mit der Firma Hero MotoCorp Ltd. ein Namenssponsor und mit der englischen Premier League ein strategischer Partner gefunden. Die Saison dauert nicht sehr lange und ist bereits im Dezember des gleichen Jahres zu Ende gespielt. Die acht teilnehmenden Vereine sind als Franchise aufgebaut worden und können durch das geschlossene Ligasystem nicht absteigen.

Für die Gründung eines Franchise konnte man sich bewerben, was von vielen Wirtschaftsvertretern und prominenten Stars der Bollywood-Szene gemacht wurde. Auch ehemalige Cricket-Spieler gehören zu Eigentümern von den neuen Fussballvereinen. Beim Klub Atlético de Kolkata ist unter anderem der spanische Verein Atlético Madrid beteiligt. Auch der AC Florenz hat sich bei einem der neu gegründeten Teams zum Miteigentümer gemacht. Die beiden europäischen Teams versprechen sich wahrscheinlich dadurch grössere Popularität im zweitbevölkerungsreichsten Land der Welt. Mit über einer Milliarde potenzieller

Anhänger durchaus verständlich. Die Lizenzen für ein Franchise mussten erworben werden und kosteten rund 20 Mio. Euro.[146]

Nicht nur die Teambesitzer sind prominent und sorgen damit für Interesse bei der Bevölkerung. Auch die Spieler wurden bewusst ausgesucht. Jedes Team musste einen Star als Aufhänger des Teams präsentieren, einen sogenannten Marquee Player. So kam es, dass Altstars aus Europa den Weg nach Indien gefunden haben. Für die acht Teams spielen unter anderem David Trezeguet, Robert Pires, Fredrik Ljungberg, Alessandro Del Piero, Mikael Silvestre, Luis García oder Joan Capdevila. Mit diesen Stars soll das Interesse bei der Bevölkerung geweckt werden und der Fussball in Zukunft einen höheren Stellenwert einnehmen. Nach mehreren Versuchen, eine attraktive Liga zu etablieren, soll nun endlich der Durchbruch gelingen. Auch auf den Trainerbänken findet man mit Zico, Peter Reid oder Marco Materazzi bekannte Namen. Um die Liga möglichst spannend und ausgeglichen zu gestalten, wurden die weiteren Spieler in einem Draftsystem an die Vereine verteilt. Dabei gab es ein Auswahlverfahren für die einheimischen Spieler und eines für die ausländischen Spieler. So wurde verhindert, dass die finanzstärkeren Teams die besten Spieler unter Vertrag nehmen und das Ligagefüge auseinanderdriftet.

Stadien mussten für die neuen Vereine nicht errichtet werden. Für die neue Indian Super League werden bereits bestehende Stadien genutzt, welche mit anderen Fussballteams oder Mannschaften aus dem Cricket geteilt werden. Viele der Stadien bestehen schon seit mehreren Jahrzehnten und wurden teilweise seit der Jahrtausendwende renoviert. Die Kapazitäten der Stadien lassen sich durchaus mit denen der höchsten europäischen Ligen vergleichen, die Platz bieten für 20'000 bis 68'000 Zuschauer. Im

---

[146] (Handelsblatt.com, Mathias Peer, Das neue Paradies für Fußball-Pensionäre, 2014)

grössten Stadion, dem Salt Lake Stadium in Kalkutta, ist Atlético de Kolkata beheimatet. Insgesamt wird das Stadion von fünf Fussballvereinen genutzt. Es werden zudem Partien der indischen Fussballnationalmannschaft, Wettkämpfe der Leichtathletik oder Konzerte durchgeführt.

Im Vergleich zu den europäischen Spitzenligen ist die Liga in Indien in finanzieller Hinsicht ebenfalls noch in den Kinderschuhen. Dies liegt einerseits daran, dass die Liga neu ist und sich erst bewähren muss, andererseits aber sicherlich an der Konkurrenz zum Cricket. Der Ligasponsor Hero MotoCorp Ltd. hat sich die Namensrechte immerhin 8 Mio. Euro für die ersten drei Spielzeiten kosten lassen. Die Suche weiterer Partner stellte sich eher schwierig dar. Diese sogenannten "Associate Sponsors" sollen jährlich rund 1,1 Mio. Euro beisteuern. Für die erste Saison wurden jedoch lediglich drei solcher Partner gefunden. Dass die Lancierung einer neuen Liga in der Vergangenheit bereits einmal gescheitert ist, hat wohl viele potenzielle Sponsoren abgeschreckt und diese warten erst einmal ab, wie sich das neue Produkt entwickelt. Zur positiven Entwicklung beitragen soll die flächendeckende Übertragung der Spiele. Die Sendergruppe Star India hat sich die Rechte für zehn Jahre gesichert und sich zudem am Joint Venture IMG Reliance mit 30% beteiligt. Star India gehört zu 21st Century Fox von Rupert Murdoch.[147]

Da die Meisterschaft lediglich drei Monate dauert, sind die Gehaltskosten für die Vereine grundsätzlich einiges geringer als in üblichen Meisterschaftsbetrieben grosser Ligen. Dennoch gibt es Spieler, die für das Abenteuer Indien sehr viel Geld kassieren. Am weitaus meisten verdient Alessandro Del Piero, der für das dreimonatige Engagement rund 1,4 Mio. Euro einstreicht. Nicolas Anelka kassiert als zweitbestbezahlter Spieler

---

[147] (Manager-Magazin.de, Daniel Maderer, Fussball in Indien - der nächste Versuch, 2014)

immer noch rund 700'000 Euro. Die besten einheimischen Spieler in der neuen Indian Super League erhalten noch rund 100'000 Euro.[148] Dies ist zwar im Vergleich zu den teuren Superstars aus dem Ausland nicht gerade viel, stellt für indische Verhältnisse aber ein sehr hoher Verdienst dar. Und ohne die hohen Gehälter für die Stars aus Europa hätten diese den Weg nach Indien nicht gefunden.

Auch wenn es sportlich gesehen um den indischen Fussball noch nicht zum besten bestellt ist, die Voraussetzungen für eine erfolgreiche Zukunft sind vorhanden. Das Potenzial mit der riesigen Bevölkerungsanzahl ist zweifelsfrei vorhanden. Auch die Stadioninfrastruktur besteht an vielen Orten. Es würde also nicht verwundern, wenn sich Indien in den nächsten Jahren für die Ausrichtung einer Fussballweltmeisterschaft bewerben würde. Da das Turnier im Jahr 2022 in Katar und somit in Asien durchgeführt wird, sind die Chancen für asiatische Länder wohl erst wieder ab der Austragung im Jahr 2034 realistisch. Gerade wenn man daran denkt, dass Katar die WM mit der Begründung der Erschliessung neuer Fussballmärkte erhalten hat, wären die Chancen für Indien durchaus intakt. Die einzige Frage würde wohl sein, ob man sich gegen China aus dem gleichen Kontinent und mit den ähnlichen Voraussetzungen durchsetzen würde. Und hinter dieser Frage steht wohl das grösste Fragezeichen. Gut möglich also, dass die Wahrscheinlichkeit einer WM-Qualifikation der indischen Nationalmannschaft grösser ist als einer Durchführung des Turniers. Aber schon dies wäre ein grosser Schritt und eine durchaus positive Entwicklung für Indiens Fussballer.

---

[148] (Timesofindia.com, Marcus Mergulhao, In sweltering India, it's raining money, 2014)

Liebe Leserin, lieber Leser

Besten Dank, dass Sie meine erste Buchveröffentlichung erworben und hoffentlich auch gelesen haben. Der Fussball bietet in vielerlei Hinsicht spannende Facetten. Ich hoffe, dass ich Ihnen die wirtschaftliche Seite dieses Sports näher bringen konnte. Die beiden Bereiche Wirtschaft und Sport faszinieren mich seit vielen Jahren. Auch wenn die wirtschaftliche Bedeutung immer grösser wird, so bleibt der Sport immer am Ursprung des Ganzen. Denn nur das Spiel, der Kampf um Tore und Titel, löst die Emotionen aus, die wir im Fussball hautnah spüren.

Wenn Ihnen das Buch gefallen hat oder Sie mir Ihre Kritik und Anregungen mitteilen möchten, freue ich mich sehr über eine Mitteilung an:

geldmaschine_fussball@bluewin.ch

Nochmals herzlichen Dank und beste Grüsse.
Severin Capaul

Lightning Source UK Ltd.
Milton Keynes UK
UKHW020633080419
340664UK00010B/1137/P